Brûlant
secret

Du même auteur aux éditions Grasset :

JOSEPH FOUCHÉ
DEUX GRANDS ROMANCIERS DU XIXe SIÈCLE (BALZAC-DICKENS)
MARIE-ANTOINETTE
ÉRASME
SOUVENIRS ET RENCONTRES
LA PEUR
MARIE STUART
LE CHANDELIER ENTERRÉ
MAGELLAN
LES HEURES ÉTOILÉES DE L'HUMANITÉ
LA PITIÉ DANGEREUSE
CASTELLION CONTRE CALVIN
TROIS MAÎTRES (DOSTOÏEVSKI-BALZAC-DICKENS)
UN CAPRICE DE BONAPARTE

Stefan
Zweig

Brûlant secret

Traduit de l'allemand
par ALZIR HELLA

Bernard Grasset
PARIS

Stefan Zweig/Brûlant Secret

Stefan Zweig est né à Vienne, le 28 novembre 1881, dans une famille d'industriels appartenant à la grande bourgeoisie israélite. Avec Hugo von Hofmannsthal, avec Robert Musil, avec Arthur Schnitzler, il est une des figures dominantes de cette génération prodigieuse de la littérature autrichienne dont l'épanouissement coïncidera avec la chute du vieil empire des Habsbourg.

Sa situation de fortune le délivrant des préoccupations matérielles, c'est la seule curiosité qui guide ses études. Curieux, Zweig l'est à la fois de philosophie et de belles lettres, d'histoire et de voyages. Jeune homme, il parcourt l'Europe à la découverte des littératures étrangères. Il se lie avec Verhaeren dont il traduit des poèmes en allemand, parvenant avec un rare bonheur à en restituer tout le lyrisme. Plus tard, il donnera aussi de remarquables versions de Verlaine et de Rimbaud. En 1901, à peine âgé de vingt ans, il fait paraître son premier recueil de vers, Cordes d'argent, *suivi, en 1907, par* les Guirlandes précoces. *Son inspiration éminemment éclectique l'amène ensuite à se consacrer au théâtre. Il compose deux drames,* Tersites *(1907) et* la Maison au bord de la mer *(1911).*

A cet humaniste accompli, à ce cosmopolite féru d'échanges intellectuels au-delà des nationalités, la guerre fait l'effet d'un traumatisme. Immédiatement, Zweig comprend qu'elle consomme la fin d'un monde; c'est la signification qu'il lui donne dans tous les romans où il la met en scène. Ses convictions pacifistes s'expriment dans deux pièces de théâtre, Jérémie *(1916) et* l'Agneau du pauvre *(1930). On peut regretter que ces œuvres intéressantes aient été éclipsées par* Volpone *(1927), qui demeure le plus grand succès théâtral de Zweig.*

En 1919, Zweig s'installe à Salzbourg où il restera quinze ans. C'est là qu'il écrit quelques-uns des romans qui lui apportent une célébrité mondiale : Amok *(1922),* la Confusion des sentiments *(1926),* les Heures étoilées de l'humanité *(1928),* Vingt-Quatre Heures de la vie d'une femme *(1934). Avec le roman, Zweig trouve sa veine la plus originale et s'affirme bientôt comme le peintre minutieux et magistral des drames de l'être intime. Le destin joue un grand rôle dans ses récits, mais le destin selon Zweig n'est pas une entité surnaturelle. A la lumière des enseignements de Freud qui marquent profondément sa démarche romanesque, Zweig s'applique à révéler, dans le processus de fatalité dont ses héros et ses héroïnes sont victimes, la part qui revient au déterminisme de l'inconscient.*

Parallèlement, il fait œuvre de biographe et d'essayiste avec Trois Maîtres *(1919),* la Lutte avec le démon *(1925). Lorsqu'il interroge la vie de Nietzsche, celle de Hölderlin ou celle de Dostoïevski, il mêle librement le portrait clinique à la biographie et, par l'analyse des tourments et des motivations intérieurs, tente d'éclairer les mécanismes de la création. Son goût pour l'histoire lui inspire encore des vies de Fouché, de Marie-Antoinette, de Marie Stuart. Plus que par le rôle historique qu'ont joué ces personnages, on devine Zweig séduit par leurs figures pathétiques ou leurs destins d'exception. C'est en romancier qu'il les décrit et les fait vivre, leur restituant cette dimension de vérité intime dont l'histoire qui se fonde sur les seuls faits ne saurait complètement rendre compte.*

En 1934, Zweig vient s'établir à Londres pour y poursuivre les recherches préparatoires à sa vie de Marie Stuart. Son voyage n'a aucun motif politique, mais bientôt l'invasion de l'Autriche par les troupes de Hitler et sa réunion à l'Allemagne nazie dissuadent l'écrivain de rentrer dans son pays. C'est durant cet exil qu'il écrit Brûlant Secret *(1938) et* la Pitié dangereuse *(1939). En 1940, il devient sujet britannique.*

Au début de la guerre, en compagnie de sa seconde femme, il quitte l'Angleterre pour les États-Unis et réside quelques mois dans la banlieue de New York. Puis, en août 1941, il décide de s'installer au Brésil. C'est à Petrópolis qu'il achève de rédiger son autobiographie, le Monde d'hier, *portrait de l'Europe d'avant 1914, vue avec le regard enchanté de la mémoire.*

Profondément affectés par la guerre et désespérant de l'avenir du monde, Zweig et sa jeune femme décident de se donner la mort. Ils s'empoisonnent ensemble le 23 février 1942.

Les nouvelles qui composent Brûlant Secret *illustrent admirablement le génie singulier de Zweig, peintre d'une société et de ses mœurs, mais aussi analyste subtil des consciences. Dans la nouvelle qui donne son titre au recueil, un jeune fonctionnaire en villégiature dans une station du Semmering se languit de Vienne et de ses plaisirs. L'exercice de la séduction offrant un dérivatif à son ennui, il jette son dévolu sur une jeune femme qui réside dans le même hôtel, en compagnie de son fils, un garçon d'une douzaine d'années venu fortifier sa constitution chétive au grand air des montagnes. C'est à travers cet enfant que le jeune homme entreprend la conquête de l'inconnue. Il pourrait y réussir, mais l'enfant délaissé, qui comprend que l'on s'est servi de lui, fera tout ce qui est en son pouvoir pour séparer sa mère du séducteur dont il l'a d'abord innocemment rapprochée.*

Le manège hypocrite des adultes, observé par un enfant qui en perçoit les faux-semblants et dissimule lui-même, sous ses caprices puérils, les premiers tourments de la jalousie amoureuse, tel est le thème que le style minutieux de Zweig explore dans ses moindres nuances.

L'exploration des zones les plus obscures de l'être est aussi le sujet de la Nuit fantastique. *Par un radieux dimanche du printemps 1913, un dandy au cœur insensible, et dont les nombreux succès féminins ne parviennent pas à dissiper l'ennui chronique, s'aventure à son insu sur le dangereux chemin qui mène à la découverte de soi-même. D'un élégant champ de courses jusqu'aux allées mal famées du Prater, cette quête initiatique jalonnée de rencontres louches constitue aussi une dernière promenade dans la Vienne impériale sur son déclin.*

A Ellen Key,

en souvenir des radieuses journées d'automne de Bagni di Lucca.

O enfance, étroite prison !
Que de fois j'ai pleuré derrière tes barreaux
En voyant passer, tout pailleté d'azur et d'or,
L'oiseau inconnu de mes rêves !

O nuits d'impatience, où je me déchirais les mains
Aux verrous de ma geôle, quand je sentais
[bouillonner
Dans mon sang la violence de désirs précoces
Jusqu'au jour où, brisant mes fers, je trouvai
[l'espace libre devant moi !

A peine l'eus-je aperçu que je pris mon essor :
Le monde était à moi ! Mon cœur libéré
Se consuma dans mille ivresses ardentes.

Et pourtant le souvenir de mon enfance bien
souvent me donne des regrets :
O délicieuse angoisse des premières aubes !
Que ne puis-je retrouver ma prison, ma pureté et
[ma candeur d'antan !

BRULANT SECRET

La locomotive fit entendre un rauque sifflement : on était arrivé au Semmering. Pendant une minute les noirs wagons stationnèrent sous la lumière faiblement argentée du ciel ; ils rejetèrent un mélange de personnes et en avalèrent d'autres. Des voix nerveuses résonnèrent çà et là, puis la machine siffla de nouveau et entraîna bruyamment la chaîne sombre des wagons dans la gueule du tunnel. Et la paix recommença à régner sur le vaste paysage aux clairs arrière-plans balayés par le vent humide.

L'un des arrivants, un jeune homme, qui attirait sympathiquement l'attention par son costume de bon goût et l'élasticité naturelle de sa marche, prit vite, avant tous les autres, un fiacre pour le conduire à l'hôtel. Les chevaux gravirent sans hâte le chemin montant. Il y avait du printemps dans l'air. Dans le ciel flottaient de blancs et turbulents nuages comme on n'en voit qu'en mai et juin, — ces compagnons toujours jeunes et volages, qui courent en jouant sur la piste bleue pour se cacher soudain derrière de hautes montagnes, qui s'embrassent et ensuite se fuient, qui tantôt se chiffonnent comme des mouchoirs et tantôt s'effilochent en bandeaux et qui, finalement, comme pour leur faire une niche, mettent sur la tête des monts de blancs bonnets. Il y avait aussi de l'agitation là-haut dans le vent, qui secouait si violemment les maigres arbres encore tout mouillés par la pluie que leurs articulations craquaient doucement et que mille gouttelettes en jaillissaient, comme des étincelles. Parfois aussi le parfum de la neige semblait apporter sa fraîcheur du haut des montagnes ; alors on sentait dans sa respiration quelque chose qui était à la fois doux et piquant. Tout dans l'air et sur la terre était mouvement, bouillonnement et impatience. Maintenant qu'ils dévalaient la pente du chemin, les chevaux couraient en soufflant légèrement et le tintement de leurs grelots s'entendait de très loin. A l'hôtel, la première chose que fit le jeune homme fut de consulter la liste des hôtes, qu'il parcourut, bientôt déçu. « Pourquoi donc suis-je ici ? » se demanda-t-il tout d'abord avec inquiétude. « Etre seul, dans la montagne, sans société, c'est pire que le bureau. Il est clair que je suis arrivé trop tôt, ou trop tard. Je n'ai jamais de chance avec mes vacances. Je ne trouve pas un seul nom connu parmi tous ces gens-là. Si, du moins, il y avait quelques femmes, la possibilité d'un petit flirt — à la rigueur même innocent — pour ne pas passer cette semaine trop tristement. »

Le jeune homme, un baron de cette noblesse autrichienne de peu d'éclat issue de la bureaucratie, était employé de ministère. Il avait pris ce petit congé sans aucun besoin, simplement parce que tous ses collègues avaient obtenu en cette saison printanière une semaine de vacances et qu'il ne voulait pas faire cadeau de la sienne à l'administration. Quoique ne manquant pas d'une certaine personnalité, il était d'une nature essentiellement mondaine, recherché pour cela, et bien vu dans tous les milieux. Il avait pleinement conscience de son incapacité à supporter la solitude, à rester seul en face de lui-même, et il évitait autant que possible ces moments-là parce qu'il ne voulait pas du tout faire plus intimement connaissance avec son moi. Il savait qu'il avait besoin du contact des hommes pour faire briller tous ses talents, pour animer la chaleur et la pétulance de son cœur, et que, laissé à lui seul, il était sans valeur et froid comme une allumette dans sa boîte.

Mécontent, il se mit à aller et venir dans le hall vide, tantôt feuilletant les journaux avec indécision, tantôt entamant une valse sur le piano du salon sans que ses doigts pussent en trouver le rythme parfait. Enfin, il s'assit dans un coin, de mauvaise humeur, regardant l'obscurité tomber lentement et le brouillard sortir des pins sous forme de vapeurs grises. Il émietta ainsi une heure sans aucun agrément et dominé par ses nerfs. Puis il se réfugia dans la salle à manger.

Il n'y avait d'abord que quelques tables d'occupées et il en fit le tour d'un regard rapide. Vainement. Il ne connaissait personne sauf, là-bas (et il rendit négligemment un salut), un viveur, — encore une figure du boulevard ! A part cela, pas une femme qui lui permît d'espérer ne fût-ce qu'une fugitive aventure. Son humeur devint plus impatiente. C'était un de ces hommes qui doivent beaucoup de bonnes fortunes à leur joli visage et chez qui, à chaque moment, tout est prêt pour une nouvelle rencontre, une nouvelle expérience amoureuse ; un de ces hommes qui sont toujours au potentiel voulu pour se précipiter dans l'inconnu d'une aventure, que rien ne surprend, parce que, sans cesse à l'affût, ils ont tout calculé ; qui ne manquent aucune occasion parce que leur premier regard pénètre inquisiteur dans la sensualité charnelle de chaque femme, sans faire de différence entre l'épouse de leur ami et la servante qui leur ouvre la porte. Lorsque, avec un certain dédain superficiel, on donne à ces gens-là, en Autriche, le nom de « chasseurs de femmes », c'est sans savoir combien de vérité positive incarne ce mot, car, effectivement, tous les instincts passionnés de la chasse, le flair, l'excitation et la cruauté mentale, s'agitent dans l'attitude de ces hommes constamment sur le qui-vive. Ils sont toujours chargés de passion, une passion qui n'est pas celle de l'amant, mais du joueur, la passion froide, calculatrice et périlleuse. Il y en a parmi eux d'une ténacité extraordinaire dont, même au delà de leur jeunesse, toute l'existence se passe dans l'attente de l'éternelle aventure ; pour qui la journée se divise en cent petits événements sensuels (un coup d'œil en passant, un sourire glissé en coulisse, un genou effleuré quand on est assis en face l'un de l'autre) et l'année, à son tour, en une centaine de ces jours-là ; pour qui, enfin, l'événement sensuel est la source éternellement jaillissante, nourricière, et brûlante de la vie.

Ici il n'y avait pas de femme, pas de partenaire ; le baron s'en rendit compte tout de suite. Il prit un journal et laissa couler ses regards maussades sur les lignes imprimées ; mais ses pensées étaient paralysées et trébuchaient contre les mots comme un homme ivre.

Soudain il entendit derrière lui le frou-frou d'une robe et une voix légèrement irritée qui disait en français avec un accent affecté : « Mais tais-toi donc, Edgar. »

Une robe de soie crissa en passant contre sa table ; il vit une silhouette de femme grande et bien en chair et derrière elle, vêtu d'un costume de velours noir, un petit garçon pâle, dont le regard l'effleura avec curiosité. Tous deux s'assirent en face l'un de l'autre, à la table réservée, l'enfant s'efforçant d'observer une correction qui paraissait en contradiction avec l'agitation de ses yeux noirs. La dame (le jeune baron ne faisait attention qu'à elle) était mise avec une élégance recherchée. En outre elle avait un type qu'il aimait beaucoup : c'était une de ces juives un peu grasses, à la veille de dépasser la maturité, manifestement passionnée, elle aussi, mais habile à cacher son tempérament derrière une mélancolie distinguée. Il ne put pas tout d'abord voir ses yeux, mais il admira la ligne bien formée des sourcils, s'arrondissant avec pureté au-dessus d'un nez délicat, qui, à vrai dire, trahissait la race, mais qui par sa noblesse rendait le profil de cette femme net et intéressant. Ses cheveux, comme tout ce qu'il y avait de féminin dans ce corps épanoui, étaient d'une luxuriance remarquable, et sa beauté, dans la fière conscience qu'elle avait d'être très admirée, paraissait rassasiée et orgueilleuse. Elle commanda le repas d'une voix très basse, rappela encore à l'ordre le gamin qui faisait du bruit en jouant avec sa fourchette, tout cela avec une apparente indifférence devant le regard glissant et prudent du baron, dont elle avait l'air de ne pas remarquer la présence, tandis qu'en réalité c'était la vigilance active de celui-ci qui lui imposait cette réserve soucieuse.

La figure assombrie du baron s'était tout à coup éclairée ; dans leur vie souterraine les nerfs se mirent à l'animer, firent disparaître les plis, tonifièrent les muscles, si bien que sa taille se redressa et que la lumière brilla dans ses yeux. Il n'était pas lui-même sans ressembler à ces femmes qui ont besoin de la présence d'un homme pour tirer de leur être tout leur pouvoir. Il lui fallait un excitant sensuel pour déployer toute la puissance de son énergie. Le chasseur flaira une proie. D'un air provocant son œil chercha à rencontrer le regard de la femme, ce regard qui, parfois, croisait le sien dans un coup d'œil luisant et indécis, mais qui ne lui donnait jamais une réponse claire. Autour de la bouche, il croyait découvrir comme la détente d'un sourire qui commence, mais tout cela était incertain et c'est cette incertitude qui l'excitait. La seule chose qui lui parût prometteuse était cette façon continuelle dont la femme dirigeait son regard à côté de lui, parce que c'était à la fois de la résistance et de la gêne — et aussi la nature étudiée de la conversation qu'elle avait avec l'enfant, conversation qui sans nul doute « devait » être entendue. Même la réserve forcée de cette attitude tranquille indiquait, il le sentait, un commencement d'inquiétude. Lui aussi était excité : la partie était engagée. Il traîna son dîner en longueur ; pendant une demi-heure, presque sans arrêt, il tint son regard fixé sur cette femme jusqu'à ce qu'il eût dessiné, pour ainsi dire, dans son esprit, chaque ligne de son visage et qu'il eût touché secrètement chaque partie de son corps épanoui. Au dehors l'obscurité tombait lourdement ; les arbres soupiraient avec une peur enfantine lorsque les grands nuages pluvieux se mettaient à étendre vers eux leurs mains grises ; les ombres envahissaient de plus en plus la salle et les hommes semblaient de plus en plus oppressés par le silence. L'entretien de la mère avec son enfant devenait toujours plus affecté, plus artificiel. Le baron se rendit compte qu'il touchait à sa fin. Alors il résolut de faire un essai. Il se leva le premier et se dirigea à petits pas vers la porte, en jetant, au moment où il passait près d'elle, un long regard sur le paysage. Puis, brusquement, comme s'il avait oublié quelque chose, sa tête se retourna, Et ainsi il s'aperçut qu'elle le regardait avec des yeux pleins de vivacité.

Il attendit dans le hall. Elle vint bientôt après, tenant son enfant par la main ; elle feuilleta en passant les revues et montra au petit quelques images. Mais lorsque le baron alla vers la table, comme pour prendre une revue, mais en réalité pour pénétrer d'une façon plus profonde dans la lueur humide de ses yeux et peut-être même pour engager une conversation, elle se détourna, frappa légèrement sur l'épaule de son fils, en lui disant, en français : « Viens, Edgar, au lit ! » Puis elle passa froidement. Un peu déçu, le baron la regarda partir. Il avait compté que ce soir même il ferait sa connaissance, et cette manière brusque de s'en aller était pour lui une désillusion. Mais, somme toute, il y avait du charme dans cette résistance et l'incertitude dans laquelle il se trouvait enflammait son désir. Enfin, il avait trouvé sa partenaire et la partie pouvait s'engager.

Le lendemain, lorsque le baron entra dans le hall il y vit l'enfant de la belle inconnue en conversation animée avec les deux boys de l'ascenseur, à qui il montrait les images d'un livre de Karl May. Sa maman n'était pas là ; sans doute était-elle encore occupée à sa toilette. Ce n'est qu'alors que le baron examina le gamin. C'était un enfant timide, nerveux et peu développé, d'une douzaine d'années, avec des mouvements indolents et des yeux sombres et fureteurs. Comme beaucoup de gosses de cet âge, il donnait l'impression de quelqu'un que l'on a effrayé, comme s'il venait d'être soudain arraché au sommeil et placé, sans transition, dans un entourage étranger. Son visage, non sans beauté, n'était pas encore formé ; la lutte du caractère masculin avec le caractère enfantin paraissait n'être qu'à son début ; tout chez lui n'était encore que comme une pâte que l'on pétrit, sans aucune forme bien nette, sans aucune ligne bien accusée. En outre, il était précisément à cet âge ingrat où les enfants n'ont jamais des vêtements qui leur vont bien, où les manches et les culottes flottent mollement autour des maigres articulations et où d'ailleurs aucune vanité ne les porte à surveiller leur extérieur.

L'enfant produisait là, par sa façon de rôder partout sans savoir que faire, une impression pénible. A vrai dire, il gênait tout le monde, tantôt le portier qu'il paraissait importuner par ses questions et qui l'écartait, tantôt les gens qu'il embarrassait à l'entrée de l'hôtel ; visiblement il lui manquait la fréquentation d'un ami. C'est pourquoi, dans son besoin enfantin de bavarder, il cherchait à se rapprocher des domestiques, qui, lorsqu'ils avaient le temps, lui répondaient, mais qui brisaient aussitôt la conversation dès qu'apparaissait une grande personne ou que le travail les appelait. Le baron observait en souriant et avec intérêt le malheureux gamin dont la curiosité s'attachait à tout et devant qui tout se dérobait inamicalement. A un certain moment, il capta un de ses regards de curiosité, mais les yeux noirs rentrèrent peureusement dans leur retraite dès qu'ils se sentirent pris en flagrant délit de vagabondage et se dissimulèrent sous les paupières baissées. La chose amusa le baron. Le gamin commença à l'intéresser et il se demanda si cet enfant, qui, à coup sûr, n'était rendu si timide que par la crainte, ne pourrait pas être un rapide intermédiaire entre lui et l'étrangère. Toujours est-il qu'il allait essayer. Sans en avoir l'air, il suivit le gamin qui venait de s'élancer vers la porte et qui, dans sa soif enfantine de tendresse, se mit à caresser les naseaux roses d'un cheval blanc, — jusqu'au moment (véritablement, il n'avait pas de chance !) où, ici encore, le cocher l'écarta assez rudement. Froissé et ennuyé, il s'était remis à badauder çà et là, les yeux vides et un peu tristes.

— Eh bien, jeune homme, te plais-tu ici ? fit soudain le baron en s'efforçant de donner à son apostrophe un ton aussi jovial que possible.

L'enfant devint rouge comme le feu et le regarda fixement avec inquiétude, puis, d'un air craintif, il rapprocha ses mains de son corps et dans sa gêne il tourna la tête à droite et à gauche. C'était la première fois qu'un inconnu engageait avec lui une conversation.

— Oui, je vous remercie.

Ce fut tout ce qu'il eut la force de balbutier, et encore le dernier mot eut-il de la peine à sortir de sa bouche.

— Cela m'étonne, dit le baron en riant ; c'est, pourtant, un endroit assez morne, surtout pour un petit homme comme toi. Que fais-tu donc toute la journée ?

Le gamin était encore trop troublé pour trouver immédiatement une réponse. Etait-il possible vraiment que cet élégant monsieur qu'il ne connaissait pas désirât s'entretenir avec lui, dont personne ne s'occupait ? Cette pensée le rendait à la fois timide et fier. Il se ressaisit péniblement pour répondre :

— Je lis, et puis souvent nous allons nous promener. Parfois nous sortons aussi en voiture, maman et moi. Je suis ici pour reprendre des forces, j'étais malade. Le médecin a dit qu'il me fallait rester longtemps assis au soleil.

Ces derniers mots furent dits déjà avec assez d'assurance. Les enfants sont toujours fiers d'une maladie, parce qu'ils savent que le danger les rend importants aux yeux de leurs parents.

— Oui, le soleil est une bonne chose ; il te brunira vite. Mais il ne faudrait pas que tu restes assis toute la journée. Un gamin comme toi devrait courir, être plein d'animation et faire aussi quelques bêtises. Il me semble que tu es trop sage ; tu as l'air d'une momie avec ton grand et gros livre sous le bras. Quand je pense au gibier de potence que j'étais à ton âge ! Chaque soir je rentrais les culottes déchirées. Il ne faut pas être trop sage.

Malgré lui l'enfant fut obligé de sourire et cela lui ôta toute crainte. Il aurait aimé répondre quelque chose, mais c'eût été selon lui faire montre d'impolitesse, de trop de hardiesse devant ce beau monsieur inconnu, qui lui parlait d'un ton si amical. Jamais il n'avait été exubérant et il était vite embarrassé ; aussi, maintenant, le bonheur et la honte le remplissaient d'un trouble extrême. Il aurait tant aimé continuer l'entretien, mais il ne trouvait rien à dire. Heureusement que le grand chien jaune de l'hôtel, un saint-bernard, vint à passer ; il les flaira tous les deux et se laissa volontiers caresser.

— Aimes-tu les chiens ? demanda le baron.

— Oh ! oui, beaucoup ; bonne-maman en

a un dans sa villa de Baden, près de Vienne, et quand nous y habitons il est avec moi toute la journée. Mais ce n'est qu'en été.

— Nous en avons chez nous, dans notre propriété, je crois bien deux douzaines. Je t'en donnerai un. Un brun avec des oreilles blanches, un tout jeune, veux-tu ?

L'enfant rougit de plaisir :

— Oh ! oui, fit-il aussitôt, d'une voix brûlante et avide. Mais ensuite une pensée se fit jour en lui, lui donnant un air anxieux et presque effrayé :

— Mais maman ne le permettra pas. Elle dit qu'elle ne veut pas de chien à la maison ; ils donnent trop de tracas.

Le baron sourit. Enfin la conversation se portait sur la maman.

— Ta maman est-elle si sévère ?

L'enfant réfléchit, regarda une seconde le monsieur, comme pour se demander si l'on pouvait déjà avoir confiance dans cet étranger. La réponse resta prudente :

— Non, ma maman n'est pas sévère. Maintenant, parce que je suis malade, elle me permet tout. Peut-être me permettra-t-elle même d'avoir un chien.

— Faut-il que je le lui demande ?

— Oh ! oui, je vous en prie — fit le gamin exultant de joie. Dans ce cas maman y consentira certainement. Et quel air a-t-il ? Il a les oreilles blanches, n'est-ce-pas ? Sait-il apporter ?

— Oui, il sait tout faire.

Le baron sourit malgré lui à l'aspect des chaudes étincelles qu'il avait fait jaillir si vite dans les yeux de l'enfant. A présent la timidité du début était vaincue et la passion, qui avait été retenue par la crainte, déborda. L'enfant peureux et anxieux de tout à l'heure était devenu subitement un gamin plein de pétulance. Ah ! si sa mère était ainsi, pensa involontairement le baron, si elle était aussi ardente derrière sa réserve ! Mais, déjà, le gamin l'assaillait de questions :

— Comment s'appelle le chien ?

— Caro.

— Caro, — jubila l'enfant.

Malgré lui il riait et exultait à chaque parole, enivré par cet événement inattendu, par le fait de voir quelqu'un s'occuper de lui amicalement. Le baron s'étonnait lui-même de son rapide succès et il résolut de battre le fer tant qu'il était chaud. Il invita l'enfant à faire avec lui un brin de promenade, et le pauvre diable, qui depuis des semaines portait en lui le désir affamé d'avoir un compagnon, fut ravi de cette offre. Ingénument il révélait tout ce que son nouvel ami cherchait à savoir de lui au moyen de menues questions, semblant toutes fortuites. Bientôt le baron fut parfaitement renseigné sur la famille d'Edgar ; il sut ainsi que l'enfant était le fils unique d'un avocat de Vienne, qui appartenait à la riche bourgeoisie israélite ; il eut vite appris que la mère n'était pas enchantée de son séjour au Semmering et qu'elle s'était plainte de l'absence d'une société sympathique ; il crut même pouvoir induire de la façon évasive avec laquelle Edgar lui répondit, lorsqu'il lui demanda si sa maman aimait beaucoup son papa, que là tout n'était pas idéal. Il avait presque honte de la facilité avec laquelle il arrachait à l'innocent enfant tous ces petits secrets de famille, car Edgar, très fier de voir que ce qu'il racontait était capable d'intéresser un adulte, ne cachait rien à son nouvel ami. Son cœur d'enfant battait d'orgueil à la pensée d'être vu publiquement dans une parfaite intimité avec une grande personne (le baron, en marchant, lui avait mis son bras sur l'épaule) et, peu à peu, il oubliait qu'il n'était qu'un enfant et il caquetait librement et sans retenue, comme s'il eût parlé à quelqu'un de son âge. Ainsi que la conversation le montrait, Edgar était très intelligent, un peu précoce même, comme la plupart des enfants maladifs qui sont restés longtemps dans la société des adultes, et ses sympathies ou ses antipathies atteignaient un degré de passion extraordinaire. Il ne paraissait jamais garder la mesure ; il parlait de chaque personne ou de chaque objet soit avec enthousiasme, soit avec une haine si violente qu'elle tordait son visage et lui donnait presque un aspect méchant et hideux. Quelque chose de sauvage et de primesautier, qui provenait peut-être de la maladie qu'il venait de surmonter, mettait dans ses paroles une ardeur fanatique et il semblait que sa gaucherie n'était qu'une crainte, péniblement refrénée, de sa passion.

Au bout d'une demi-heure, le baron était maître de ce cœur brûlant et agité. Il est si facile de tromper un enfant, ces naïfs dont on recherche si rarement l'amour ! Le baron n'avait qu'à se reporter à son propre passé pour trouver tout naturel que le gamin ne vît plus en lui qu'un camarade et qu'au bout de quelques minutes il eût perdu le sentiment de la distance qu'il y avait entre eux. Il était si heureux d'avoir trouvé soudain dans cet endroit solitaire un ami, et quel ami ! Il les oubliait tous, les petits garçons de Vienne, avec leurs voix fluettes, leurs bavardages sans expérience ; cette heure unique et nouvelle avait suffi pour noyer leur image et leur souvenir. Toute sa passion enthousiaste appartenait à présent à ce nouvel ami, son grand ami, et son cœur se dilata de fierté lorsque celui-ci, au moment du départ, l'invita à revenir le lendemain matin et qu'ensuite il lui fit signe de loin, tout comme un frère. Cette minute fut peut-être la plus belle de sa vie. Le baron sourit en voyant le gamin s'en aller en courant ; l'intermédiaire cherché était maintenant tout acquis à sa cause. L'enfant, il le savait, accablerait sa mère de récits, jusqu'à satiété ; il répéterait chaque mot. Et alors le baron se rappela avec plaisir qu'il avait avec adresse tressé quelques compliments à l'égard de l'étrangère et qu'il avait toujours parlé à Edgar de sa « jolie maman ».

Il était évident pour lui que le communicatif enfant n'aurait de cesse avant de les avoir mis en relations. Lui-même n'avait pas besoin de bouger pour atteindre la belle inconnue ; il pouvait maintenant rêver tranquillement et contempler le paysage, car il savait que d'ardentes mains d'enfant étaient en train de construire le pont qui le conduirait vers le cœur de la dame.

Le plan, ainsi qu'il s'en aperçut une heure plus tard, était excellent et il réussit jusque dans ses plus petits détails. Lorsque le baron, s'étant à dessein mis un peu en retard, pénétra dans la salle à manger, Edgar tressauta sur sa chaise et le salua vivement, avec un sourire de bonheur dans les yeux. En même temps il tira sa mère par la manche et lui parla avec animation en désignant le baron par des gestes vus de tous. Gênée et rougissante, elle blâma sa trop grande exubérance, mais, malgré tout, elle ne put s'empêcher de regarder du côté que montrait l'enfant, pour lui faire plaisir. Le baron en profita aussitôt pour incliner la tête avec respect. La connaissance était faite. Elle fut obligée de rendre le salut, mais ensuite elle tint son visage penché sur son assiette et évita avec soin, pendant tout le repas, de regarder dans la direction du baron. Il en était tout autrement d'Edgar, dont les yeux étaient tournés sans cesse vers son ami et qui même, une fois, essaya de lui parler, malgré la distance, incorrection qui fut aussitôt énergiquement censurée par sa mère. Après le repas, on lui signifia d'aller dormir, mais un actif chuchotement s'engagea entre lui et sa maman, dont le résultat fut l'autorisation accordée à ses ardentes supplications d'aller faire ses compliments à son ami. Le baron lui dit quelques paroles cordiales qui, de nouveau, firent briller les yeux de l'enfant et il causa avec lui pendant quelques minutes. Mais, soudain, par une adroite volte-face, il se dressa en se tournant vers l'autre table et félicita sa voisine, quelque peu troublée, d'avoir un fils si intelligent et si éveillé, vanta la matinée agréable qu'il avait passée avec lui (Edgar était là, debout, écoutant, rouge de joie et de fierté) et il s'informa ensuite de la santé de l'enfant, posant tant de questions que la mère fut obligée de répondre. Et ainsi ils aboutirent à un entretien assez long, auquel le gamin assistait tout heureux, avec une sorte de respect. Le baron se présenta et crut remarquer que son nom sonore faisait une certaine impression sur la femme. En tout cas, elle était à son égard d'une prévenance extraordinaire, bien qu'elle restât très réservée et même qu'elle prît congé de bonne heure, à cause de l'enfant, ainsi qu'elle ajouta en manière d'excuse.

Edgar protesta vivement; il n'était pas fatigué et il était tout disposé à rester là toute la nuit. Mais déjà la mère avait tendu la main au baron, qui la baisa respectueusement.

Cette nuit-là Edgar dormit mal. Il y avait à la fois en lui un chaos de bonheur et de désespoir enfantins, car quelque chose de tout nouveau s'était produit dans son existence. Pour la première fois il avait participé aux destins des grandes personnes. Il lui semblait avoir grandi tout d'un coup. Elevé dans l'isolement et souvent malade, il n'avait guère eu d'amis. Personne ne s'était trouvé là pour satisfaire son besoin de tendresse, à l'exception de ses parents, qui s'occupaient peu de lui, et des domestiques. Et la force d'un amour est toujours faussement mesurée quand on ne l'apprécie que d'après ce qui en fait l'objet et non pas d'après la tension psychique qui le précède, — d'après cet intervalle vide et sombre, fait de déception et de solitude, que l'on constate dans tous les grands événements du cœur. Ici il y avait une sensibilité débordante, inemployée, en état d'attente, qui se précipitait au-devant du premier être qui semblait la mériter. Edgar était là dans l'obscurité, à la fois ravi de bonheur et tout troublé; il voulait rire et il était obligé de pleurer, car il aimait le baron comme il n'avait jamais aimé un ami, ni son père ni sa mère, ni même Dieu. Toute la passion précoce de ses années passées s'attachait à l'image de cet homme dont quelques heures auparavant le nom lui était encore inconnu.

Mais il était malgré cela assez intelligent pour ne pas se laisser dominer par l'inattendu et l'originalité de cette amitié nouvelle. Ce qui le troublait, c'était le sentiment de sa non-valeur, de son néant. « Suis-je donc digne de lui, moi un gamin de douze ans, moi qui n'ai pas encore fait mes classes et qui, le soir, dois aller me coucher avant les autres ? » pensait-il en se tourmentant. « Que puis-je être pour lui, que puis-je lui donner ? » Cette impuissance douloureuse dans laquelle il se trouvait de manifester d'une manière quelconque son attachement à son ami le rendait malheureux. D'habitude, quand il avait gagné l'amitié d'un condisciple, son premier acte était de partager avec lui les petits trésors de son pupitre, des timbres-poste et des pierres de couleur, ces possessions naïves de l'enfance, mais ces choses-là, qui hier encore avaient pour lui une grande importance et un charme rare, lui semblaient à présent dénuées de valeur, misérables et ridicules. Du reste comment aurait-il pu offrir ces bagatelles à son nouvel ami, à qui il ne pouvait même pas se permettre de rendre le « tu » que celui-ci lui donnait? Quel moyen, quelle possibilité avait-il de révéler ses sentiments ? Il éprouvait de plus en plus le tourment d'être petit, d'être quelque chose d'à demi formé et d'incomplet, un gamin de douze ans ; jamais encore il n'avait si violemment maudit sa condition d'enfant, jamais il n'avait si intimement désiré se réveiller le lendemain sous l'aspect d'un adulte grand et fort, tel qu'il se voyait dans ses rêves.

Dans ces inquiètes pensées s'intercalèrent vite les premiers rêves colorés de ce nouveau monde de l'âge mûr. Edgar s'endormit enfin avec un sourire, mais le souvenir du rendez-vous qu'il avait pour le lendemain mina cependant son sommeil. Dès sept heures du matin il se réveilla avec la crainte d'arriver trop tard. Il s'habilla en hâte; il alla embrasser sa mère étonnée (qui d'habitude ne pouvait le tirer du lit qu'avec peine) et, avant qu'elle eût pu le questionner, il se précipita dans l'escalier. Jusqu'à neuf heures il alla et vint avec impatience, oubliant son déjeuner et uniquement préoccupé de ne pas faire attendre son ami.

Enfin, à neuf heures et demie, le baron arriva d'un pas nonchalant et insouciant. Il avait depuis longtemps oublié le rendez-vous; mais, maintenant que l'enfant accourait vers lui, il fut obligé de sourire de tant de passion et il se montra disposé à tenir sa promesse. Il prit le gamin par le bras et se mit à faire les cent pas avec lui; seulement il se refusa, doucement mais avec fermeté, à entreprendre tout de suite la promenade dont il avait été question. Il paraissait attendre quelque chose, du moins c'est ce que laissait supposer son regard, qui surveillait les portes avec une certaine nervosité. Soudain son corps se tendit en avant. La maman d'Edgar venait de se montrer et, rendant le salut du baron, elle se dirigea vers les deux amis. Elle sourit en guise de consentement lorsqu'elle apprit le projet de promenade qu'Edgar lui avait dissimulé, comme étant quelque chose de trop précieux; puis elle se laissa vite gagner par l'invitation du baron à venir avec eux.

Aussitôt Edgar devint maussade et se mordit les lèvres. Comme c'était ennuyeux qu'elle arrivât juste à ce moment-là! Cette promenade lui avait, pourtant, été promise à lui seul, et, s'il avait présenté son ami ce n'avait été qu'une gentillesse de sa part, mais non pas dans l'intention de partager son amitié avec sa mère. Quelque chose d'analogue à de la jalousie s'éveilla en lui dès qu'il remarqua l'amabilité du baron à l'égard de sa maman.

Ils se mirent donc en route, tous les trois, et le sentiment de son importance et de son prestige soudain fut encore accru chez l'enfant par l'intérêt visible que le baron et sa mère lui portaient. Edgar fut presque toujours le sujet de la conversation, sa mère parlant avec un souci quelque peu hypocrite de la pâleur et de la nervosité de l'enfant, tandis que le baron protestait en souriant et se répandait en éloges sur la gentillesse de son « ami », comme il l'appelait. Edgar était on ne peut plus heureux. Il avait maintenant des droits qui ne lui avaient jamais été reconnus au cours de son enfance. On lui permettait de parler, on ne lui imposait plus silence aussitôt qu'il ouvrait la bouche, il pouvait même exprimer très haut toutes sortes de désirs qui, jusqu'alors, avaient été très mal accueillis. Il n'était pas étonnant qu'en lui se développât le sentiment illusoire d'être une grande personne. Déjà l'enfance n'était plus pour lui, dans ses rêves de lumière, qu'une chose du passé, semblable à un vêtement dont on se débarrasse parce que devenu trop petit.

Au repas de midi, le baron, donnant suite à l'invitation de la mère d'Edgar, qui devenait toujours plus aimable, s'assit à la table de celle-ci. La proximité avait fait place à un vis-à-vis et la simple connaissance s'était changée en amitié. Le trio était formé et les trois voix de la femme, de l'homme et de l'enfant résonnaient dans un accord parfait.

L'heure parut venue à l'impatient chasseur de presser le gibier. Ce qu'il y avait de familial dans ces relations, l'existence d'un trio, lui déplaisait. C'était, certes, une chose bien gentille de causer ainsi à trois, mais finalement son intention n'était pas de causer. Et il savait que la mondanité, avec le jeu masqué de ses concupiscences, retarde toujours le jaillissement érotique entre l'homme et la femme, enlève aux paroles leur ardeur et à l'attaque son feu. Il ne fallait pas que la conversation fît jamais oublier à cette femme l'intention véritable du baron, que, il en était sûr, elle avait déjà comprise.

Il y avait beaucoup de probabilités pour que son empressement auprès de cette femme ne restât pas vain. Elle était à cette époque décisive de la vie où une femme commence à regretter d'être demeurée fidèle à un époux, qui, en réalité, n'a jamais été aimé, et où le pourpre coucher du soleil de sa beauté lui laisse encore un dernier choix (pressant!) entre la maternité et la féminité. A cette minute la vie, qui paraissait depuis longtemps déjà avoir été réglée d'une façon définitive, est de nouveau remise en question ; pour la dernière fois l'aiguille magnétique de la volonté oscille entre la passion et la résignation à jamais. Une femme a alors à prendre la dangereuse décision de vivre sa propre destinée ou celle de ses enfants, d'être femme ou mère. Et le baron, qui, dans ces choses-là, était très pénétrant, croyait justement remarquer chez elle cette dangereuse oscillation entre l'ardeur de vivre et le sacrifice. Elle oubliait sans cesse, dans la conversation, de parler de son époux, qui, manifestement, ne paraissait satisfaire que ses besoins extérieurs, mais non son snobisme, excité par une vie mondaine, et au fond de son être elle était très peu attachée à son enfant. Une ombre d'ennui qui se dissimulait dans ses yeux sombres, sous forme de mélancolie, planait sur son existence et obscurcissait sa sensualité. Le baron résolut de faire vite, mais en même temps d'éviter toute apparence de précipitation. Au contraire, il voulait, comme le pêcheur qui retire l'hameçon pour mieux appâter, opposer pour sa part à cette nouvelle amitié une indifférence extérieure; il voulait se faire désirer, alors qu'en réalité c'était lui qui désirait. Il se promit d'outrer un certain orgueil, d'accuser fortement la différence de leurs positions sociales; la pensée l'excitait d'arriver à conquérir ce beau corps plein et épanoui rien que par l'affirmation de son orgueil, par la sonorité de son nom aristocratique et la froideur de ses manières.

La chaleur du jeu commençait déjà à lui monter à la tête, il se contraignit à la prudence. Après le déjeuner il resta dans sa chambre avec le sentiment agréable qu'on l'attendait, qu'on regrettait qu'il ne fût pas là. Mais cette absence ne fut pas trop remarquée par la personne visée; par contre, elle constitua un tourment pour le pauvre enfant. Tout l'après-midi, Edgar se sentit infiniment abandonné et comme perdu; avec la fidélité obstinée particulière aux enfants, il attendit sans se lasser son ami pendant de longues heures. S'en aller ou faire seul n'importe quoi lui eût semblé un manquement à l'amitié. Sans but il se traînait dans les couloirs et plus il se faisait tard, plus son infortune était grande. Dans son inquiétude, il songeait déjà à un accident ou à quelque offense involontaire commise par lui et il était sur le point de pleurer d'impatience et de tristesse.

Le soir, lorsque le baron descendit dîner, il fut magnifiquement reçu. Edgar s'élança au-devant de lui, sans faire attention aux cris de défense de sa mère ni à l'étonnement des autres personnes et, de ses maigres petits bras, il enlaça avec impétuosité la poitrine de son ami : « Où étiez-vous? Où avez-vous été ? » s'écria-t-il avec vivacité. « Nous vous avons cherché partout. » Sa mère rougit à cette allusion désagréable qu'il faisait la concernant, et elle lui dit assez rudement en français : « Sois sage, Edgar. Assieds-toi. »

Elle parlait toujours en français avec lui, bien que cette langue ne lui fût pas tout à fait familière et qu'elle perdît facilement pied quand il s'agissait d'explications un peu compliquées. Edgar obéit, mais il ne cessa pas de questionner le baron.

— Mais n'oublie donc pas que monsieur peut faire ce qu'il veut, dit-elle. Peut-être notre société l'ennuie-t-elle? » Cette fois-ci elle se trahissait et le baron sentit avec joie que ce reproche n'était que l'appel d'un compliment.

Le chasseur qu'il y avait en lui se réveilla. Il était enivré et tout brûlant d'avoir trouvé si vite la bonne piste, de sentir maintenant le gibier tout près de son coup de feu. Ses yeux brillèrent, son sang affluait plus léger dans ses veines; les paroles jaillissaient de ses lèvres, il ne savait lui-même pas comment. Comme tout homme très incliné à l'érotisme, il était étincelant, quand il savait qu'il plaisait aux femmes — semblable en cela à l'acteur qui ne s'enflamme que lorsqu'il sent les auditeurs fascinés, la masse subjuguée. Il avait toujours été un bon narrateur, aux récits pleins d'images frappantes, mais, ce soir-là (il buvait de temps en temps quelques coupes de champagne, qu'il avait commandé pour célébrer leur amitié), il se dépassa lui-même. Il raconta des chasses dans l'Inde auxquelles il avait assisté, comme invité d'un de ses amis de la haute aristocratie anglaise; il choisit habilement ce sujet, parce que c'était un sujet quelconque et que, d'autre part, il sentait combien tout ce qui était exotique et inaccessible pour elle excitait cette femme. Mais ce fut surtout Edgar, dont les yeux flamboyaient d'enthousiasme, qui fut enchanté par ces récits. Il en oubliait de manger, de boire et ses yeux captaient les mots sur les lèvres du narrateur. Jamais il n'avait espéré voir réellement un homme ayant vécu ces choses formidables qu'il lisait dans les livres, la chasse aux tigres, les hommes aux figures de bronze, les Hindous, et la terrible roue de Djaggernat qui écrasait des milliers d'humains sous ses essieux. Jusqu'alors il n'avait pas pensé que de tels hommes existassent réellement, pas plus qu'il ne croyait à l'existence des pays dont il était question dans les contes; et cette seconde éveillait en lui un sentiment d'importance. Il ne pouvait pas détourner les yeux de son ami, il regardait fixement, haletant, ces mains tout près de lui qui avaient tué un tigre. A peine osait-il poser une question et alors sa voix résonnait toute fiévreuse. Son imagination rapide lui faisait apercevoir chaque scène du magique récit; il voyait son ami juché sur l'éléphant recouvert d'une housse pourpre, avec, à droite et à gauche, des figures bronzées, aux turbans précieux, et le tigre qui soudain, les dents luisantes, bondissait hors de la jungle et abattait sa patte sur la trompe du pachyderme. Ensuite le baron raconta quelque chose de plus intéressant encore, l'artifice qu'on employait pour capturer des éléphants et qui consistait à attirer dans des fosses les jeunes, sauvages et pétulants, au moyen de bêtes vieilles et dressées : les yeux de l'enfant lançaient du feu. Soudain (et ce fut comme s'il eût vu un couteau briller et frapper devant lui) sa maman dit, en regardant l'horloge : « Neuf heures ! Au lit ! »

Edgar pâlit de frayeur. Pour les enfants, être envoyé au lit est une punition terrible, parce que c'est pour eux une humiliation évidente devant les grandes personnes, la preuve de leur faiblesse et de leur infériorité. Mais combien atroce était une pareille chose au moment le plus intéressant, puisqu'elle l'empêchait d'apprendre la suite de ces événements inouïs!

— Rien que cela, maman, l'histoire des éléphants rien que cela, permets-moi de l'entendre raconter.

Il allait se mettre à implorer, mais il songea vite à sa nouvelle dignité de grande personne.

Aussi ne fit-il qu'une tentative. Mais sa mère était, ce soir-là, étrangement sévère.

— Je dis non; il est trop tard; monte dans ta chambre. Sois sage, Edgar. Je te raconterai entièrement toutes les histoires que j'aurai entendues.

Edgar hésita. D'habitude sa mère l'accompagnait toujours au lit. Mais il ne voulut pas faire le suppliant devant son ami. Son orgueil d'enfant voulait laisser à ce pitoyable départ une apparence d'obéissance volontaire :

— Mais, c'est bien vrai, maman, tu me raconteras tout, tout, l'histoire des éléphants et les autres?

— Oui, mon enfant.

— Tout à l'heure? Ce soir même?

— Oui, oui, mais maintenant va dormir. Va.

Edgar fut surpris lui-même de pouvoir tendre sans rougir la main au baron et à sa maman bien que les sanglots fussent déjà prêts à éclater dans son gosier. Le baron passa amicalement ses doigts dans la chevelure de l'enfant, ce qui amena un léger sourire sur son visage nerveux. Mais ensuite Edgar dut se précipiter vers la porte, sinon on aurait vu de grosses larmes lui couler sur les joues.

La mère resta encore quelque temps dans la salle à manger avec le baron, mais il ne parlait plus d'éléphants ni de chasse. Une légère oppression, un embarras subit, dominait leur entretien depuis que l'enfant les avait quittés. Finalement ils se rendirent dans le hall et s'assirent dans un coin. Là le baron ne tarda pas à retrouver sa verve et se montra de plus en plus étincelant ; elle-même, le champagne aidant, était un peu animée ; la conversation prit donc vite un caractère dangereux. A vrai dire, le baron n'était pas ce que l'on appelle un bel homme; mais il était jeune et avait un aspect très viril, avec son visage légèrement bronzé et ses cheveux courts ; il ravissait cette femme par la liberté presque impertinente de ses mouvements. Maintenant elle aimait à le regarder de près et n'avait plus peur de ses yeux. Petit à petit se glissa dans les paroles du baron une hardiesse qui la troubla, quelque chose qui était comme une façon de saisir son corps, de le tâter et puis de le laisser, quelque chose qui ressemblait à un désir indicible et qui faisait monter le sang à ses joues. Mais aussitôt il se remettait à rire étourdiment, librement, comme un enfant, ce qui donnait à ces petites manifestations du désir une apparence de gaminerie. Parfois il lui semblait qu'elle allait repousser avec sévérité certaines audaces de langage, mais, comme elle était d'une nature coquette, ces audaces ne faisaient que l'exciter à en entendre davantage. Et, entraînée par ce jeu téméraire, elle essaya même, à la fin, de l'imiter. Elle répondait; ses regards lançaient à son partenaire de vagues promesses; elle s'abandonnait déjà, dans ses mots et dans ses mouvements; elle tolérait même son approche, le voisinage immédiat de cette voix dont elle sentait parfois le souffle chaud et frémissant sur ses épaules. Comme tous les joueurs, ils ne se rendaient pas compte de l'écoulement du temps et ils étaient si complètement absorbés par leur ardent entretien qu'ils eurent un sursaut de frayeur lorsqu'à minuit les lumières du hall s'éteignirent en partie.

Elle se leva, obéissant à son premier mouvement d'effroi, elle voyait tout à coup avec quelle témérité elle s'était risquée si loin. Certes, jouer avec le feu n'était pas nouveau pour elle, mais maintenant son instinct lui disait combien ce jeu était déjà devenu sérieux. Elle découvrit en frissonnant qu'elle n'était plus tout à fait sûre d'elle-même, que quelque chose en elle commençait à glisser et menaçait de l'emporter dans un inquiétant tourbillon. La tête lui tournait sous l'effet de l'appréhension, du vin et des ardents discours ; une peur stupide, insensée s'empara d'elle, cette peur que déjà elle avait connue dans de pareilles secondes, mais jamais d'une manière aussi violente, ni aussi vertigineuse. « Bonne nuit, bonne nuit, à demain matin », dit-elle hâtivement, désirant prendre congé. Elle voulait échapper moins au baron qu'au danger de cette minute et de cette nouvelle et étrange incertitude qu'elle éprouvait en elle-même. Mais le baron retint avec une douce violence la main qu'elle lui offrit, la baisa, et non pas seulement une fois, suivant le rite de la courtoisie, mais quatre ou cinq fois, les lèvres frémissantes, depuis la fine extrémité des doigts jusqu'au poignet ; un léger frisson la parcourut au contact de la moustache qui chatouillait le revers de sa main. Une bouffée de chaleur l'envahit. Puis ses tempes se mirent à battre d'une manière effrayante ; sa tête était en feu; l'angoisse, une angoisse folle vibrait maintenant à travers tout son corps et elle retira brusquement sa main.

« Restez donc encore », murmura le baron. Mais déjà elle fuyait avec une précipitation maladroite, qui trahissait son trouble et son anxiété. Elle sentait qu'elle était arrivée au point d'excitation désiré par l'autre; elle se rendait compte de toute l'agitation qu'il y avait en elle. Elle était en proie à la crainte brûlante que l'homme qui était derrière elle ne l'empoignât dans ses bras, mais en même temps, au moment même où elle lui échappait, elle éprouvait déjà un regret qu'il ne le fît pas. A ce moment-là aurait pu se produire ce qu'elle désirait inconsciemment depuis des années, l'aventure dont elle aimait voluptueusement le souffle proche, bien que jusqu'à présent elle se fût toujours dérobée au dernier moment, la grande et périlleuse aventure et non le flirt fugitif et simplement émoustillant. Mais le baron était trop fier pour courir à la poursuite d'une seconde favorable. Il était trop sûr de sa victoire pour prendre cette femme, comme un voleur, dans une minute de faiblesse, avec la complicité des vapeurs du vin ; au contraire, ce qui excitait ce joueur loyal, c'étaient la lutte et l'abandon pleinement conscient. Elle ne pouvait lui échapper. Il savait que l'ardent poison frémissait déjà dans ses veines.

Au haut de l'escalier elle s'arrêta un instant, la main pressée contre son cœur haletant. Ses nerfs défaillaient. Un soupir sortit de sa poitrine, moitié satisfaction d'avoir échappé à un danger et moitié regret; mais tout cela était confus et continuait de faire courir dans son sang comme un léger vertige. Les yeux à demi fermés, comme si elle était ivre, elle se dirigea en tâtonnant vers sa porte et elle ne respira que quand elle eut saisi le loquet froid. Alors elle se sentit en sûreté.

Elle poussa doucement la porte devant elle et eut aussitôt un mouvement de recul. Quelque chose avait bougé dans la chambre, là-bas, dans l'obscurité. Ses nerfs excités frémirent fortement ; elle était sur le point d'appeler au secours, lorsqu'elle entendit une voix, toute chargée de sommeil, s'élever tout bas dans le fond de la pièce et dire :

— Est-ce toi, maman?

— Pour l'amour de Dieu, que fais-tu là?

Elle se précipita vers le divan où Edgar était couché tout recroquevillé et où il venait de s'arracher au sommeil. La première pensée de la mère fut que l'enfant était malade, qu'il avait besoin d'assistance.

Mais Edgar, encore tout endormi et d'un ton de léger reproche, dit :

— Je t'ai attendue pendant longtemps et puis je me suis endormi.

— Pourquoi donc m'as-tu attendue?

— A cause des éléphants.

— Quels éléphants?

Ce n'est qu'alors qu'elle comprit. Elle se souvint qu'elle avait promis à l'enfant de tout lui raconter en rentrant, la chasse et les aventures. Le gamin s'était introduit dans sa chambre, ce gamin naïf et sot, et il l'avait attendue avec une confiance parfaite, après quoi il s'était endormi. Cette extravagance la révolta. Ou plutôt elle éprouva une sorte d'irritation contre elle-même, un léger sentiment de honte, qu'elle chercha à étouffer par des paroles.

— Va-t-en tout de suite au lit, petit mal élevé, lui cria-t-elle.

Edgar la regarda étonné. Pourquoi était-elle fâchée contre lui ? Il n'avait pourtant rien fait ? Mais cet étonnement ne fit qu'exaspérer encore davantage sa mère.

— Va-t'en tout de suite dans ta chambre, lança-t-elle, furieuse, parce qu'elle savait qu'elle avait tort.

Edgar s'en alla sans dire un mot. A la vérité, il était extrêmement fatigué et il ne sentait que confusément, à travers les pesants brouillards du sommeil, que sa mère n'avait pas tenu sa promesse et qu'on se conduisait mal avec lui. Il ne se révolta pas. En lui tout était émoussé par la fatigue ; et puis il était très mécontent de s'être endormi, au lieu de rester éveillé. « Tout comme un petit enfant », se disait-il en lui-même, avec irritation, avant de se rendormir.

Car depuis la veille il haïssait sa propre enfance.

Le baron dormit mal. Il est toujours dangereux d'aller se coucher après une aventure brusquement interrompue : une nuit agitée et chargée de cauchemars lui eut bientôt fait regretter de n'avoir pas profité hardiment de la minute favorable. Le lendemain, lorsque, encore plongé dans les nuages du sommeil et mécontent de lui-même, il descendit, l'enfant, sortant d'une cachette, bondit au-devant de lui, l'enveloppa dans ses bras avec enthousiasme et se mit à lui poser mille questions. Il était heureux d'avoir de nouveau son grand ami pour lui seul, pendant un instant, sans être obligé de le partager avec sa maman. C'est à lui seul que le baron devait tout raconter, et non pas à sa mère, déclarait-il avec insistance, car, malgré sa promesse, celle-ci ne lui avait rien répété de toutes ces histoires merveilleuses. Il assaillait de cent importunités d'enfant le baron ennuyé et qui cachait mal sa mauvaise humeur.

Le baron répondit d'un ton maussade. Cette éternelle surveillance de l'enfant, l'insignifiance de ses questions, comme cette passion indésirée, commençaient à le gêner. Il était fatigué de tourner çà et là, toute la journée, avec un gamin de douze ans, et de parler avec lui de bêtises. Maintenant il voulait être seul avec la mère. Un premier sentiment de malaise s'empara de lui en face de cette tendresse imprudemment éveillée, car, pour le moment, il ne voyait aucun moyen de se débarrasser de cet ami trop assidu.

Néanmoins, il essaya de le faire. Jusqu'à dix heures, l'heure de la promenade convenue avec la mère, il laissa, avec indifférence, tout en parcourant son journal, le flot de bavardages du gamin se déverser sur lui, lui jetant de temps en temps quelques paroles, pour ne pas l'offenser.

Enfin, lorsque l'aiguille fut presque verticale, faisant semblant de se souvenir soudain de quelque chose, il pria Edgar de se rendre à l'hôtel voisin pour demander de sa part si le comte Grundheim, son cousin, était arrivé.

Le naïf enfant, tout heureux de pouvoir enfin, une fois, rendre un service à son ami, fier de sa dignité de messager, bondit dans la direction de l'hôtel ; il courait si follement que les gens le regardaient avec étonnement. Mais il tenait à montrer comme il était diligent quand on lui confiait une commission. On lui dit là-bas que le baron n'était pas arrivé et que même il n'avait pas encore annoncé sa venue. Il revint avec cette réponse en courant de plus belle. Mais le baron n'était plus dans le hall. Il frappa alors à la porte de sa chambre : vainement. Inquiet il courut au salon et au café, puis il se précipita vers sa maman, pour lui demander des nouvelles. Elle non plus n'était pas là. Le portier à qui, tout désespéré, il s'adressa enfin lui dit à sa stupéfaction qu'ils étaient sortis ensemble, quelques minutes auparavant.

Edgar attendit avec patience. Dans sa naïveté, il ne supposait rien de mal. Il était certain qu'ils ne resteraient absents que quelques instants, car le baron avait besoin de la réponse qu'il lui apportait. Mais les heures passèrent et l'inquiétude se glissa en lui : du reste, depuis que ce séduisant étranger était intervenu dans sa petite vie, le gamin était, toute la journée, agité et troublé. Dans un organisme aussi délicat que celui des enfants, chaque passion imprime ses traces comme dans de la cire. Le tremblement nerveux des paupières qu'il avait autrefois reparaissait. Déjà il devenait plus pâle. Edgar attendit, attendit longtemps, d'abord avec patience, puis furieusement excité ; finalement il était sur le point de pleurer. Mais il ne pensait encore à rien de mal. Dans sa confiance aveugle envers son merveilleux ami, il supposait simplement qu'il y avait un malentendu et il était torturé par la crainte secrète d'avoir peut-être mal compris la commission à faire.

Mais quelle étrange chose ce fut pour lui de voir que, lorsqu'ils revinrent enfin, ils continuaient de s'entretenir joyeusement, sans manifester aucune surprise ! Il semblait qu'ils n'eussent guère regretté son absence : « Nous sommes allés au-devant de toi, nous espérions te rencontrer en chemin, Edy », dit le baron sans demander des nouvelles de la commission qu'il lui avait confiée. Et quand l'enfant, tout effrayé à la pensée qu'ils avaient pu le chercher en vain, se mit à affirmer qu'il n'avait fait que suivre la route directe, par la grand'rue, et voulut savoir dans quelle direction ils étaient allés, sa maman lui coupa brusquement la parole : « C'est suffisant, les enfants ne doivent pas bavarder comme ça. »

Edgar devint rouge de colère. C'était déjà la seconde fois que sa mère essayait de l'humilier devant son ami. Pourquoi faisait-elle cela, pourquoi cherchait-elle toujours à le faire prendre pour un enfant, puisque (il en était convaincu), il n'en était plus un ? Certainement elle était jalouse de son ami et formait le projet de le lui ravir. Oui, à coup sûr, c'était elle aussi qui avait à dessein conduit le baron sur un faux chemin. Mais il ne se laisserait pas brimer par elle, elle allait bien le voir. Il lui tiendrait tête. Edgar résolut, à table, de ne pas échanger un mot avec elle, de parler seulement avec son ami.

Cependant, cela lui fut difficile. Il arriva ce

à quoi il se serait le moins attendu : on ne remarqua pas son attitude de défi. Oui, ils ne semblaient même pas l'apercevoir, lui qui, pourtant, la veille, avait été le centre de leur entretien ! Ils parlaient tous deux par-dessus sa tête, plaisantaient ensemble et riaient comme s'il eût disparu sous la table. Le sang lui monta aux joues ; dans sa gorge il y avait comme un bâillon qui l'empêchait de respirer. Il frissonnait en se rendant compte de sa lamentable impuissance. Ainsi donc il lui fallait rester là, tranquillement assis, voir comment sa mère lui prenait son ami, le seul être humain qu'il aimât, et il ne pouvait se défendre que par le silence ? Soudain il éprouva le besoin de se lever et de frapper sur la table de ses deux poings. Simplement pour qu'ils remarquassent sa présence. Mais il se contint : il se borna à poser sa fourchette et son couteau et cessa de manger. Mais pendant longtemps ils n'aperçurent même pas ce jeûne obstiné ; la mère ne s'en rendit compte qu'au dernier plat et elle lui demanda s'il ne se trouvait pas bien.

« C'est assommant, se dit-il, elle ne pense toujours qu'à savoir si je ne suis pas malade ; autrement tout le reste lui est égal ».

Il répondit sèchement qu'il n'avait pas envie de manger et elle n'en demanda pas davantage. Rien, absolument rien, ne put attirer leur attention sur lui. Le baron paraissait l'avoir oublié ; il ne lui adressa pas une seule fois la parole. Edgar sentait de plus en plus qu'il allait pleurer ; finalement il fut obligé de recourir à la ruse des enfants, à prendre vite sa serviette avant que personne ait pu s'apercevoir que des larmes coulaient sur ses joues et mouillaient ses lèvres de leur salure. Il ne respira que lorsque le repas fut terminé.

Pendant le déjeuner, sa mère avait proposé une promenade en voiture à Maria-Schutz. Edgar, en l'entendant, s'était mordu les lèvres. Ainsi elle ne voulait plus le laisser une minute seul avec son ami. Mais sa haine devint brusquement furieuse lorsqu'elle lui dit, en se levant : « Edgar, tu vas encore oublier tout ce que tu as appris à l'école ; tu devrais bien, pour une fois, rester à la maison et repasser tes leçons. »

De nouveau ses petits poings se serrèrent. Toujours elle cherchait à l'humilier devant son ami, à rappeler devant les gens qu'il n'était encore qu'un enfant, qu'il devait aller à l'école et qu'il n'était admis parmi les grandes personnes que par tolérance. Mais cette fois-ci l'intention était trop flagrante. Il ne répondit pas et se tourna de l'autre côté.

« Ha, ha ! encore offensé », dit-elle en souriant. Puis s'adressant au baron elle ajouta : « Serait-ce réellement mauvais pour lui de travailler une heure ! » Et alors (en entendant cela, quelque chose se glaça, se pétrifia dans le cœur de l'enfant) le baron dit, lui qui se prétendait son ami, lui qui l'avait traité de casanier : « Non, une heure ou deux d'étude ne peuvent pas lui faire de mal ».

Etait-ce là une entente ? S'étaient-ils vraiment ligués contre lui ? Dans le regard de l'enfant la colère flamba. « Papa a défendu qu'ici je travaille; papa veut que je me repose », lança-t-il avec toute la fierté que lui donnait sa maladie, en se raccrochant désespérément à la parole, à l'autorité de son père. Il y avait dans sa réplique comme une menace. Et, le plus étonnant, c'est que ce mot de « papa » parut provoquer en effet chez tous deux un sentiment de malaise. La mère détourna les yeux, tambourinant nerveusement sur la table avec ses doigts. Un pénible silence régna entre eux. « Comme tu voudras, Edy », finit par dire le baron avec un sourire forcé. « Moi, je n'ai plus d'examen à subir ; il y a déjà très longtemps que j'ai échoué dans tous ».

Mais Edgar ne sourit pas à cette plaisanterie ; il ne fit que jeter sur le baron un regard pénétrant et inquisiteur, comme s'il voulait scruter le fond de son âme. Que se passait-il donc ? Il y avait quelque chose de changé entre eux que l'enfant ne comprenait pas. Ses yeux erraient avec inquiétude. Un petit battement rapide heurtait son cœur : le premier soupçon.

« Qu'est-ce qui les a tellement changés ? » pensait l'enfant assis en face d'eux dans la voiture en marche. Pourquoi ne sont-ils plus à mon égard ce qu'ils étaient avant ? Pourquoi maman évite-t-elle toujours mon regard, lorsque je le dirige vers elle ? Pourquoi cherchent-ils toujours devant moi à dire des plaisanteries et à faire le polichinelle ? Tous deux ne me parlent plus comme ils le faisaient hier et avant-hier ; je pourrais presque dire que leurs visages ne sont plus les mêmes. Maman a aujourd'hui les lèvres toutes rouges ; elle doit se les être rougies, jamais je ne l'avais vue ainsi. Et lui a toujours le front plissé, comme si je l'avais offensé. Je ne leur ai pourtant rien fait ? Je n'ai dit aucune parole qui pût les choquer ? Non, ce n'est pas moi qui peux être la cause de leur changement, car ils sont eux-mêmes, l'un à l'égard de l'autre, tout différents de ce qu'ils étaient. On dirait qu'ils ont projeté une chose qu'ils n'osent pas se confier. Ils ne parlent plus comme hier ; ils ne rient pas ; ils sont gênés, ile cachent un secret qu'ils ne veulent pas me révéler. Un secret qu'il faut que je connaisse. Je m'en rends déjà compte, ce doit être ce secret devant lequel ils me ferment toujours les portes, ce secret dont il est question dans les livres et dans les opéras, lorsque les hommes et les femmes chantent l'un en face de l'autre en écartant les bras, lorsqu'ils s'embrassent et se repoussent. Ce doit être quelque chose comme ce qui est arrivé avec ma maîtresse de français qui se comporta si mal avec papa et qui ensuite fut renvoyée. Tout cela s'enchaîne, je le sens, mais je ne sais pas comment. Oh ! le savoir, le savoir enfin, ce secret, la saisir cette clé qui ouvre toutes les portes ! N'être plus un enfant devant lequel on cache et dissimule tout ! Ne plus se laisser duper et tromper ! Maintenant ou jamais ! Je veux le leur arracher, ce terrible secret. »

Un pli se creusa à son front ; ce chétif gamin de douze ans avait presque un air vieillot, en méditant ainsi gravement, sans avoir un seul regard pour le paysage qui se déployait tout autour de lui en couleurs vives: les montagnes dans le vert épuré de leurs forêts de conifères et les vallées dans l'éclat délicat du printemps tardif. Il ne prêtait attention qu'aux deux visages qui lui faisaient face sur la banquette de la voiture, comme si, avec ses regards ardents, il eût pu, ainsi qu'un pêcheur avec sa ligne, capturer le secret caché dans les profondeurs luisantes de leurs yeux. Rien n'aiguise mieux l'intelligence qu'un soupçon passionné ; rien ne déploie mieux toutes les possibilités de l'intellect non encore mûr qu'une piste qui se perd dans l'obscurité. Parfois ce n'est qu'une seule et mince cloison qui sépare les enfants de ce que nous appelons le monde réel et un souffle de vent fortuit la leur ouvre brusquement.

Edgar se voyait tout à coup plus près de l'inconnu, du grand secret, qu'il ne l'avait encore jamais été ; il le sentait là devant lui, encore inaccessible et indéchiffré, mais, malgré cela, tout près de lui. Cela l'excitait et lui donnait une gravité solennelle et soudaine.

Inconsciemment, il se rendait compte qu'il se trouvait au terme de son enfance.

En face de lui, les deux complices sentaient une sourde résistance, sans pouvoir la définir, et sans se douter qu'elle venait de l'enfant. Ils étaient à l'étroit et gênés dans la voiture. Les deux yeux qu'ils voyaient devant eux, la sombre ardeur qui y flamboyait les embarrassaient. Ils osaient à peine parler, à peine se regarder. Ils ne retrouvaient plus maintenant le chemin de cette conversation légère et mondaine à laquelle ils étaient pourtant si habitués, déjà trop engagés dans la voie des confidences brûlantes, de ces mots dangereux dans lesquels tremble la lascivité caressante d'attouchements secrets. Leur entretien était hésitant, intermittent : ils s'arrêtaient, ils voulaient reprendre, mais sans cesse ils trébuchaient contre le silence obstiné de l'enfant.

Ce silence était surtout pesant pour la mère. En regardant prudemment l'enfant de côté elle venait de découvrir dans la manière dont il pinçait les lèvres une ressemblance avec son mari, quand il était énervé ou fâché. Il lui était pénible d'être obligée de se souvenir de celui-ci juste au moment où se nouait entre elle et le baron une aventure amoureuse. Le gamin, avec ses yeux sombres et chercheurs, avec cette attitude de guetteur derrière son front pâle, lui semblait être un fantôme chargé de surveiller sa conscience et d'autant plus insupportable là, dans l'étroitesse de la voiture, à dix pouces d'elle. Soudain Edgar la regarda pendant une seconde. Tous deux baissèrent aussitôt les yeux : ils sentaient qu'ils s'épiaient. Jusqu'à présent ils avaient eu une confiance aveugle l'un dans l'autre ; mais maintenant, entre la mère et l'enfant, entre elle et lui, il y avait quelque chose de changé. Ils commençaient à s'observer, à séparer leurs deux destinées, chacun ayant déjà pour l'autre une haine secrète, qui était encore trop nouvelle pour qu'ils osassent se l'avouer.

Ils eurent tous trois un soupir de soulagement lorsque les chevaux revinrent s'arrêter devant l'hôtel. Ç'avait été une excursion malheureuse, ils le sentaient, mais aucun d'eux n'osait le dire. Edgar descendit le premier de la voiture. Sa mère s'excusa en prétendant qu'elle avait des maux de tête et s'empressa de monter dans sa chambre ; elle était fatiguée et voulait être seule. Le baron paya le cocher, regarda l'heure et se dirigea vers le hall sans faire attention au gamin qui était resté là. Il passa devant lui, avec ses fines et sveltes épaules, avec cette démarche balancée et au rythme léger qui enchantait tellement l'enfant que, la veille, il avait essayé de l'imiter. Il passa sans hésitation. Visiblement il l'avait oublié et il le laissait là avec le cocher, avec les chevaux, comme un étranger.

Edgar sentit quelque chose se briser en son être en voyant faire son ami que, malgré tout, il aimait encore avec tant d'idolâtrie. Le désespoir jaillit en son cœur lorsque le baron fila, sans l'effleurer de son manteau, sans lui dire un mot, à lui qui, pourtant, n'avait commis aucune faute. Il fut incapable de garder cette contenance qu'il avait jusqu'à présent eu tant de peine à s'imposer ; le poids artificiel de sa dignité tomba de ses frêles épaules ; il redevint un enfant, petit et humble, comme la veille et comme toujours auparavant. Malgré lui, d'un pas rapide et tremblant, il courut derrière le baron, se plaça devant lui, alors qu'il allait monter l'escalier, et lui dit d'une voix oppressée, en contenant difficilement ses larmes :

— Que vous ai-je fait, pour que vous ne fassiez plus attention à moi ? Pourquoi, à présent, êtes-vous toujours ainsi avec moi ? Et maman aussi ? Pourquoi voulez-vous toujours m'écarter ? Est-ce que je vous gêne ou bien me suis-je mal conduit ?

Le baron tressaillit. Dans cette voix il y avait quelque chose qui le rendait confus et le portait à la douceur. Il eut pitié de l'innocent gamin.

— Edy, tu es un petit fou. J'étais tout simplement de mauvaise humeur, aujourd'hui. Tu es un charmant enfant, que j'aime bien. En même temps, il lui tirait amicalement les cheveux, mais en détournant à demi son visage, pour ne pas voir ses grands yeux humides et suppliants. La comédie qu'il jouait commençait à lui être pénible. Il avait honte vraiment d'avoir trompé d'une façon si indigne l'amour de cet enfant, et cette voix menue, secouée de sanglots, lui faisait mal. « Va-t'en dans ta chambre. Edy, lui dit-il d'un ton bienveillant, ce soir nous nous réconcilierons, tu verras ».

— Mais vous ne permettrez pas que maman m'envoie au lit tout de suite, n'est-ce pas ?

— Non, non, Edy, sois tranquille, fit le baron en souriant. Monte chez toi maintenant, il faut que je m'habille pour le dîner.

Edgar s'en alla plein de bonheur pour l'instant. Mais bientôt le battement de son cœur se fit de nouveau entendre, Depuis la veille il avait vieilli de plusieurs années ; un hôte étranger, la méfiance, avait pris place dans sa poitrine d'enfant.

Il attendit. C'était l'épreuve décisive. Ils étaient assis à table tous les trois. Neuf heures sonnèrent, mais sa mère ne l'envoya pas se coucher. Déjà il s'inquiétait ; pourquoi, justement aujourd'hui, lui permettait-elle de rester plus tard, elle qui, d'habitude, était si stricte ? Le baron lui avait-il fait part de leur entretien et révélé son désir ? Un brûlant regret de s'être confié à son ami avec toute la franchise de son cœur s'empara de lui. Soudain, à dix heures, sa mère se leva et prit congé du baron. Chose étrange, ce dernier ne paraissait nullement étonné de ce départ prématuré ; il ne chercha pas, non plus, comme il le faisait toujours, à la retenir. Le battement retentissait toujours plus fort dans la poitrine de l'enfant.

Edgar fit semblant de ne rien remarquer et suivit sa mère sans protestation. Mais brusquement ses yeux tressaillirent. Il venait de surprendre chez celle-ci un regard souriant qui, passant par-dessus sa tête, s'adressait au baron, un regard de complicité, relative à quelque secret. Le baron l'avait donc trahi. C'était pour cela que la séparation avait lieu si tôt : on voulait aujourd'hui l'endormir dans un sentiment de sécurité pour que le lendemain il ne les gênât plus.

— Scélérat ! murmura-t-il.

— Que dis-tu ? demanda sa mère.

— Rien, fit-il entre ses dents. Lui aussi avait maintenant son secret ; c'était la haine, une haine infinie contre eux deux.

L'inquiétude d'Edgar était passée. Enfin il éprouvait un sentiment net et bien clair : de la haine et une hostilité déclarée. Maintenant qu'il était certain qu'il les gênait, sa présence à côté d'eux devint pour lui une volupté cruellement compliquée. Il savourait l'idée de les troubler et de les affronter avec toute la force concentrée de son inimitié. C'est au baron qu'il montra d'abord les dents. Lorsque le lendemain matin celui-ci descendit et le salua, en passant, d'un cordial « *servus*, Edy », Edgar, sans lever les yeux et sans quitter son fauteuil, se contenta de murmurer un froid « bonjour ». Et quand le baron lui demanda si sa maman était déjà en bas, il répondit d'un air détaché, tout en regardant le journal : « Je ne sais pas ! »

Le baron eut un sursaut d'étonnement. Qu'est-ce que c'était encore que cela ? « Tu as mal dormi, Edy, n'est-ce pas ? » Il pensait qu'un mot de plaisanterie, comme toujours, remettrait les choses. Mais Edgar lui lança un « non » dédaigneux et se replongea dans la lecture du journal. « Gamin stupide », murmura le baron à part lui en haussant les épaules. Et il s'en alla. C'était la lutte ouverte.

A l'égard de sa maman Edgar fut aussi d'une politesse froide. Il repoussa tranquillement une tentative maladroite faite pour l'envoyer au tennis. L'ébauche de son sourire et la légère crispation de ses lèvres montraient qu'il ne voulait plus être trompé. « Je préfère aller me promener avec vous deux, maman », dit-il avec une fausse timidité, en la regardant dans les yeux. Cette réponse était visiblement désagréable à sa mère. Elle hésita et sembla chercher quelque chose. « Attends-moi ici », fit-elle enfin, je vais déjeuner ».

Edgar attendit. Mais sa méfiance veillait. Une suspicion instinctive le poussait maintenant à chercher dans chaque parole des deux complices une intention secrète et hostile. Et le soupçon lui donnait parfois une remarquable clairvoyance dans ses résolutions. C'est pourquoi, au lieu d'attendre, dans le hall, comme on le lui avait dit, Edgar préféra se poster dans la rue, d'où il pouvait surveiller non seulement la sortie principale, mais encore toutes les portes de l'hôtel. Il flairait une tromperie. Mais ils ne lui échapperaient plus. Dans la rue il se cacha, comme il l'avait lu dans ses histoires d'Indiens, derrière un tas de bois. Et il eut un rire satisfait lorsque, en effet, au bout d'une demi-heure environ, il vit sa mère sortir par la porte latérale, tenant à la main un bouquet de roses magnifiques et suivie par ce traître de baron.

Tous deux paraissaient très gais. Sans doute qu'ils étaient déjà heureux en songeant qu'ils lui avaient échappé et leur secret aussi ? Ils riaient en parlant et s'apprêtaient à descendre le chemin de la forêt.

A présent le moment était arrivé de se montrer. Edgar quitta sa cachette. Tranquillement, comme si le hasard l'eût conduit là, il se dirigea vers eux, prenant son temps, beaucoup de temps, pour jouir à son aise de leur surprise. Les deux complices, décontenancés, échangèrent un regard de stupéfaction. Lentement, avec un naturel affecté, l'enfant s'approcha, sans détourner d'eux son regard ironique. « Ah ! tu es là, Edy ; nous t'avons cherché dans l'hôtel », dit enfin sa mère. « Avec quelle effronterie elle ment ! » pensa l'enfant. Mais ses lèvres ne remuèrent pas. Elles tenaient enfermé derrière les dents le secret de sa haine.

Ils étaient là tous les trois, indécis, s'épiant mutuellement. « Allons, marchons », dit d'une voix résignée la femme mécontente, tout en effeuillant une de ses belles roses. Un léger frémissement agitait ses narines, ce qui chez elle était l'indice de la colère. Comme si ces paroles ne s'adressaient pas à lui, Edgar regardait en l'air, sans bouger de place. Quand ils se mirent en route, il se joignit à eux. Le baron essaya de le dissuader de les suivre. « Aujourd'hui il y a un match de tennis, as-tu déjà vu ce spectacle ? » Edgar le regarda avec mépris. Il ne lui répondit pas, se contentant d'arrondir ses lèvres comme pour siffler. C'était là sa façon de faire connaître son sentiment. Sa haine, aiguisée, montrait les dents.

Sa présence indésirable pesait comme un cauchemar sur les deux complices. Ils marchaient en serrant secrètement les poings comme des prisonniers devant leur gardien. L'enfant, à vrai dire, ne disait rien, ne faisait rien et cependant il devenait pour eux de plus en plus insupportable, avec ses regards épieurs, ses yeux humides de larmes contenues, sa mauvaise humeur repoussant toute tentative de rapprochement. « Marche devant », dit soudain, d'un ton furieux, sa mère qui était agacée par cette façon d'être continuellement surveillée. « Ne sois pas sans cesse dans mes jambes, cela m'énerve ! « Edgar obéissait, mais après avoir fait quelques pas il se retournait et les attendait, lorsqu'ils étaient restés en arrière, les enveloppant d'un regard méphistophélique, comme le barbet noir de *Faust*, et tissant autour d'eux un réseau de haine dans lequel ils se sentaient emprisonnés.

Son silence agressif rongeait comme un acide leur bonheur ; son regard inquisiteur arrêtait les mots sur leurs lèvres. Le baron n'osait plus continuer sa cour ; il sentait avec colère cette femme lui échapper encore une fois et la passion qu'il avait eu tant de peine à allumer se refroidir par crainte de cet enfant importun et antipathique. Toujours ils essayaient de renouer la conversation, mais toujours elle était rompue. Finalement ils ne firent plus que marcher en silence, tous les trois, en se bornant à écouter le murmure des arbres et le bruit ennuyeux de leurs propres pas.

La haine les avait gagnés tous trois. L'enfant trahi sentait avec volupté leur fureur impuissante se crisper contre sa petite personne méprisée. Son regard ironique effleurait de temps en temps la figure exaspérée du baron. Il voyait celui-ci grommeler des mots qu'il s'efforçait de ne pas lui jeter à la figure ; il remarquait aussi, avec une joie diabolique, la colère croissante de sa mère et que tous deux ne cherchaient qu'un prétexte pour le prendre à partie, l'écarter, le rendre inoffensif. Mais il ne leur en donnait aucun ; son hostilité était si bien calculée qu'il ne leur offrait aucune prise.

— Rentrons, dit soudain la mère.

Elle sentait qu'elle ne pouvait plus se retenir, qu'il lui fallait faire quelque chose, ne fût-ce que crier, sous l'effet de cette torture. « Quel dommage ! dit Edgar tranquillement, il fait si beau ! »

Tous deux devinèrent que l'enfant les raillait. Mais ils n'osèrent rien dire, car ce tyran avait, en deux jours, merveilleusement appris à se dominer. Aucun trait du visage ne trahissait sa mordante ironie. Sans se dire un mot, ils parcoururent le long chemin du retour. Lorsque l'enfant et sa mère furent seuls, celle-ci était encore toute vibrante d'irritation. D'un mouvement de mauvaise humeur elle se débarrassa de son ombrelle et de ses gants. Edgar vit bien que ses nerfs étaient excités et avaient besoin de se détendre, mais il cherchait un éclat et il resta dans la chambre pour l'énerver davantage. Elle allait et venait, s'asseyait ensuite ; ses doigts tambourinaient sur la table. A la fin, elle bondit : « Comme tu es mal peigné! Que tu es sale! C'est un scandale de te montrer ainsi devant les gens. N'en es-tu pas honteux, à ton âge? » Sans répondre, l'enfant alla se peigner. Ce silence glacial et obstiné, accompagné d'un frémissement ironique des lèvres, la rendit furieuse. Elle eût aimé le rouer de coups. « Va-t'en dans ta chambre! » lui cria-t-elle. Elle ne pouvait plus supporter sa présence. Edgar sourit et sortit.

Comme tous deux tremblaient à présent devant lui! Comme ils avaient peur, le baron et elle, d'être avec lui, de sentir sur eux ses yeux d'une dureté implacable ! Plus ils se sentaient mal à l'aise, plus son regard brillait de satisfaction, plus sa joie devenait provocante. Edgar tourmentait ses adversaires sans défense avec la cruauté presque animale des enfants. Le baron pouvait encore retenir sa colère, parce qu'il ne désespérait pas de jouer un nouveau tour à l'enfant et qu'il ne pensait qu'à son but. Mais la mère perdait de plus en plus la maîtrise d'elle-même. Pour elle, c'était un soulagement que de pouvoir lui faire des reproches. « Ne joue pas avec ta fourchette », lui disait-elle à table avec rudesse. « Tu es un mal élevé, tu ne mérites pas de t'asseoir à côté des grandes personnes. » Edgar ne faisait toujours que sourire de ces remarques; il souriait, la tête un peu penchée de côté. Il savait que ces cris étaient du désespoir et il était fier de voir les deux complices se trahir de la sorte. Son regard était très calme, comme celui d'un médecin. Autrefois, peut-être, il aurait fait le méchant, pour les mettre en colère, mais on apprend beaucoup et vite, quand on a de la haine. Maintenant il se contentait de se taire; il se taisait, se taisait toujours, jusqu'au moment où sa mère commença à crier sous l'oppression de ce silence.

Elle ne pouvait plus supporter cette situation. Lorsque, après le repas, ils se levèrent et qu'Edgar voulut les suivre avec sa façon toute naturelle de s'attacher à leurs pas, il y eut soudain chez elle une explosion. Elle oublia toute retenue et dit ce qu'elle pensait. Torturée par la présence insinuante du gamin, elle se cabra comme un cheval que tourmentent les mouches. « Qu'as-tu toujours à courir derrière moi comme un enfant de trois ans? Je ne veux pas que tu sois constamment dans mes jupes. Les enfants ne sont pas à leur place dans la société des grandes personnes. Sache bien ça. Amuse-toi donc seul un moment. Lis quelque chose ou fais ce que tu voudras, mais laisse-moi la paix. Tu m'énerves, avec ta façon de rôder autour de moi et avec ta sale mauvaise humeur. »

Enfin, il le lui avait arraché, l'aveu!

Edgar sourit, tandis que le baron et elle paraissaient embarrassés. Elle se retourna et voulut aller plus loin, furieuse contre elle-même d'avoir avoué à l'enfant son déplaisir. Mais Edgar se contenta de dire froidement : « Papa ne veut pas que je me promène tout seul. Papa m'a fait promettre de ne pas être imprudent et de rester auprès de toi. »

Il insista sur le mot « papa », parce qu'il avait déjà remarqué qu'il produisait sur tous deux une certaine action paralysante. Par conséquent, son papa, lui aussi, devait être de quelque manière mêlé à ce mystère. Et il exerçait sans doute sur les deux complices une puissance secrète, puisque la seule mention de son nom paraissait les gêner et les inquiéter. Cette fois, non plus, ils ne répondirent rien. Ils mettaient bas les armes. La mère marchait en tête avec le baron. Derrière eux venait Edgar, mais il n'avait rien de l'humilité d'un serviteur; au contraire, il était dur, sévère et implacable comme un gardien. Il faisait sonner la chaîne invisible qu'ils cherchaient à secouer et qu'ils ne pouvaient pas briser. La haine avait trempé ses forces d'enfant; lui, ignorant de tout, était plus puissant que ses deux adversaires, dont les mains étaient liées par l'impénétrable secret.

Le temps pressait. Le baron n'avait plus que quelques jours à rester là et il voulait en tirer parti. Tous deux sentaient qu'il était vain de résister à l'obstination de l'enfant irrité; aussi eurent-ils recours à l'expédient suprême, au plus misérable de tous, à la fuite, pour échapper, ne fût-ce qu'une heure ou deux, à sa tyrannie.

— Va porter à la poste ces lettres recommandées », dit la mère à Edgar. Ils étaient tous deux dans le hall et le baron parlait dehors avec un cocher de fiacre.

Avec défiance Edgar prit les deux lettres. Il pensait que d'habitude c'était toujours un domestique de l'hôtel qui avait fait les commissions de sa mère. Est-ce qu'ils complotaient encore quelque chose contre lui?

Il eut un moment d'hésitation, puis il demanda : « Où m'attendras-tu ? »

— Ici.

— Sûr?

— Oui.

— Mais ne t'en va pas. Tu resteras ici, dans le hall, jusqu'à ce que je revienne?

Dans le sentiment de sa supériorité il parlait déjà à sa mère sur un ton de commandement. Depuis l'avant-veille bien des choses avaient changé.

Puis il partit, en emportant les deux lettres. Sur la porte il passa près du baron. Il lui parla pour la première fois depuis deux jours:

— Je ne fais que porter ces deux lettres. Maman m'attend. Je vous en prie, ne partez pas avant que je sois revenu.

Le baron s'affaça rapidement pour le laisser passer, en disant : « Oui, oui, sois sans crainte. »

Edgar se précipita vers la poste. Il fut obligé d'attendre. Un monsieur qui était avant lui posait à l'employé une foule de questions ennuyeuses. Enfin il put s'acquitter de sa mission et revint vite, avec les récépissés. Et il arriva juste à temps pour voir que sa mère et le baron venaient de prendre place dans le fiacre qui détalait.

Il en était pétrifié de fureur. Il faillit ramasser des pierres pour les leur lancer. Ils lui avaient donc échappé, mais au moyen de quel grossier, de quel abominable mensonge ! Il savait depuis la veille que sa mère mentait ; mais de voir qu'elle avait l'impudence de violer une promesse formelle, cela lui enleva son dernier reste de confiance. La vie devenait pour lui incompréhensible, maintenant qu'il voyait que les paroles derrière lesquelles il avait supposé qu'était la réalité n'avaient pas plus de valeur que des bulles de savon qui éclatent au moindre souffle. Mais quel terrible secret ce devait être pour amener des adultes à le tromper, lui, un enfant, et à s'enfuir comme des criminels? Dans les livres qu'il avait lus les hommes trompaient et assassinaient pour acquérir de l'argent, de la puissance ou des royaumes. Mais ici qu'est-ce qui les faisait agir ? Que voulaient-ils tous deux? Pourquoi se cachaient-ils devant lui? Que cherchaient-ils à dissimuler sous cent mensonges ? Il se martyrisait le cerveau. Il sentait obscurément que l'enfance était enfermée derrière ce secret et qu'une fois qu'on l'avait pénétré on devenait enfin une grande personne, un homme. Oh! connaître ce secret! Mais il était incapable de penser clairement. La rage qu'il éprouvait en voyant qu'ils lui avaient échappé le consumait et troublait son esprit.

Il se dirigea en courant vers la forêt; à peine eut-il le temps de gagner l'obscurité des taillis où personne ne le voyait qu'il se mit à verser un torrent de larmes brûlantes, en hurlant : « Menteurs ! hypocrites ! coquins ! » insultes qu'il lui fallait cracher à tout prix pour ne pas étouffer. La mauvaise humeur, l'impatience, la colère et la haine de ces derniers jours, contenues par un effort d'enfant s'imaginant être devenu une grande personne, faisaient éclater sa poitrine et se traduisaient par des larmes. C'était la dernière crise de pleurs de son enfance, la plus sauvage; pour la dernière fois il s'abandonnait, comme une femme, à la volupté des larmes. En cette heure de rage sans frein, il pleura tout ce qu'il y avait en lui de confiance, d'amour, de foi et de respect; il pleura toute son enfance.

Lorsqu'il rentra à l'hôtel Edgar était un autre être. Il était calme et réfléchi. D'abord il alla dans sa chambre, se lava soigneusement le visage et les yeux, pour ne pas donner aux deux complices la joie de voir les traces de ses larmes. Puis il se prépara à prendre sa revanche. Et il attendit patiemment, sans aucune nervosité.

Le hall était plein de monde quand revint la voiture des deux fuyards. Quelques messieurs jouaient aux échecs; d'autres lisaient le journal, les dames bavardaient. L'enfant s'était assis parmi eux sans faire un mouvement; il était un peu pâle et ses regards frémissaient. Lorsque sa mère et le baron eurent franchi la porte, un peu gênés de le voir si brusquement et au moment où ils allaient balbutier l'excuse préparée, il se dressa devant eux, tranquillement, et dit d'un air de défi : « Monsieur, je voudrais vous dire quelque chose. » Le baron se sentit mal à l'aise. Il était là comme un délinquant pris en flagrant délit. « Oui, oui, tout à l'heure, dans un instant. »

Mais Edgar éleva la voix et dit d'un ton net

et tranchant, pour que tout le monde pût l'entendre : « C'est maintenant que je veux vous parler. Vous vous êtes conduit indignement. Vous m'avez menti. Vous saviez que maman m'attendait, vous êtes... »

— Edgar, s'écria la mère qui voyait tous les regards dirigés sur elle. » Et elle se précipita sur l'enfant.

Mais lorsque celui-ci s'aperçut qu'elle voulait dominer le bruit de ses paroles, il se mit à crier soudain de sa voix la plus forte :

— Je vous le répète en public. Vous avez menti abominablement et c'est là une vilenie, une action misérable.

Le baron était devenu pâle, les gens le regardaient fixement; quelques personnes souriaient.

La mère empoigna l'enfant tremblant d'émotion : « Rentre tout de suite dans ta chambre, ou je te rosse ici devant tout le monde », fit-elle d'une voix étranglée.

Mais déjà Edgar avait retrouvé son calme. Il était fâché de s'être emporté pareillement. Il était mécontent de lui-même, car, en vérité, il voulait provoquer froidement le baron, mais sa fureur avait été plus forte que sa volonté. Sans hâte aucune, avec calme, il se dirigea vers l'escalier.

« Monsieur, excusez son impertinence. Vous le savez, c'est un enfant nerveux », balbutia encore sa mère, troublée par les regards un peu ironiques des gens qui l'entouraient et la dévisageaient. Rien au monde ne lui était plus désagréable que le scandale et elle savait qu'il ne lui fallait pas perdre contenance. Au lieu de s'enfuir aussitôt, elle alla d'abord vers le portier, lui demanda s'il y avait des lettres et lui parla d'autres choses indifférentes, puis elle monta dans sa chambre comme si rien ne s'était passé. Mais derrière elle ondoyait un léger sillage de chuchotements et de rires étouffés.

En gravissant l'escalier, elle ralentit le pas. Elle avait toujours été embarrassée devant les situations graves, et, en vérité, elle avait peur d'une explication avec l'enfant. Elle ne pouvait pas nier sa culpabilité; d'autre part, elle craignait le regard de son fils, ce regard nouveau, étrange, si singulier, qui lui enlevait toute assurance et la paralysait. La peur lui conseilla d'employer la douceur. Car, elle le savait, si elle luttait, cet enfant exaspéré serait le plus fort.

Elle ouvrit la porte tout doucement. Le gamin était là, assis, calme et froid. Dans ses yeux ne se lisait aucune crainte, même pas un sentiment de curiosité. Il paraissait être très sûr de lui.

— Edgar, commença-t-elle sur un ton aussi maternel que possible, qu'est-ce qui t'a pris? J'ai eu honte pour toi. Comment peut-on être si mal élevé, pour agir ainsi à l'égard d'une grande personne? Tu vas aller faire tout de suite tes excuses au baron. » Alors Edgar regarda par la fenêtre et le « non » qu'il fit entendre semblait s'adresser aux arbres qui étaient en face. L'assurance de l'enfant commençait à étonner sa mère.

— Edgar, qu'as-tu donc? Tu es tout différent de ce que tu es d'habitude. Je ne te reconnais plus. Tu as toujours été un enfant intelligent et gentil, avec qui l'on pouvait causer, et voici que, brusquement, tu te conduis comme si tu avais le diable au corps. Qu'as-tu donc contre le baron? Tu l'aimais pourtant bien? Il a toujours été si charmant avec toi.

— Oui, parce qu'il voulait faire ta connaissance.

Elle se sentit mal à l'aise.

— Quelle sottise tu dis là! Qu'est-ce qui te passe par la tête? Comment peux-tu penser des choses semblables?

Mais alors l'enfant s'emporta :

— C'est un menteur, un fourbe. Ses actes ne sont que calcul et vilenie. Il a voulu te connaître; c'est pourquoi il a été aimable envers moi et qu'il m'a promis un chien. Je ne sais pas ce qu'il t'a promis à toi ni pourquoi il est gracieux à ton égard, mais de toi aussi il veut quelque chose, maman, à coup sûr. Autrement il ne serait pas si poli ni si aimable. C'est un mauvais homme, il ment. Regarde-le et tu verras comme il a l'air faux. Oh! je le hais, ce misérable, ce menteur, ce scélérat...

— Mais, Edgar, comment peut-on dire des choses pareilles?

Elle était troublée et ne savait que répondre. En elle s'éveillait un sentiment qui donnait raison à l'enfant.

— Oui, c'est un scélérat, je n'en démordrai pas. Tu devrais bien t'en rendre compte toi-même. Pourquoi donc a-t-il peur de moi ? Pourquoi se cache-t-il devant moi ? Parce qu'il sait que je devine ses sentiments, que je le connais, ce coquin.

— Comment peut-on parler ainsi, comment peut-on dire des choses semblables?

C'était tout ce qu'elle trouvait à répondre. Son cerveau était incapable de penser, ses lèvres exsangues ne faisaient que balbutier les mêmes mots. Soudain elle éprouva une crainte terrible, sans savoir, à vrai dire, si c'était le baron ou l'enfant qu'elle redoutait.

Edgar vit que son avertissement faisait impression sur sa mère et la tentation le prit de la gagner à sa cause, pour avoir ainsi une alliée dans l'inimitié, dans la haine qu'il vouait au baron. Il alla vers elle d'un air câlin, la saisit par le bras et sous l'effet de l'émotion sa voix prit un ton caressant.

— Maman, dit-il, tu dois pourtant bien avoir remarqué toi-même que ses intentions sont mauvaises. Il t'a rendue tout autre. C'est toi qui as changé et non pas moi. Il t'a monté la tête contre moi, uniquement pour être seul avec toi. A coup sûr, il veut te tromper. Je ne sais pas ce qu'il t'a promis. Je sais seulement qu'il ne tiendra pas sa promesse. Tu ferais bien de te méfier de lui. Quand on a trompé quelqu'un, on trompe tout le monde. C'est un mauvais homme, en qui l'on ne peut avoir confiance.

Cette voix, moelleuse et presque en larmes, semblait sortir du cœur même de la mère d'Edgar. Depuis la veille était né en elle un sentiment qui lui disait la même chose d'une manière toujours plus pressante. Mais elle avait honte de donner raison à son enfant. Et comme beaucoup d'autres, pour échapper à la gêne d'un sentiment trop puissant, elle eut recours à la rudesse. Elle se raidit, en disant:

— Les enfants ne comprennent pas ces choses-là. Tu n'as pas à t'en mêler. Tu n'as qu'à te conduire correctement. Un point, c'est tout.

Le visage d'Edgar reprit son air glacé.

— Comme tu voudras, dit-il durement, je t'ai avertie.

— Tu ne veux donc pas faire d'excuses?

— Non.

Ils étaient là, dressés l'un contre l'autre. Elle sentait que son autorité était en jeu.

— Eh bien! tu prendras tes repas dans ta chambre. Tout seul. Et tu ne reviendras à notre table que quand tu te seras excusé. Je t'apprendrai les bonnes manières, va. Tu ne bougeras pas de la chambre avant que je t'en donne la permission. As-tu compris?

Edgar se contenta de sourire. Ce sourire malicieux paraissait déjà ne plus faire qu'un avec ses lèvres. Dans son for intérieur, il était fâché contre lui-même. Quelle folie de sa part d'avoir une fois de plus donné libre cours à son cœur et d'avoir encore voulu l'avertir, cette menteuse!

Sa mère sortit avec hâte, sans même le regarder. Elle craignait son regard incisif. L'enfant était devenu pour elle une cause de malaise, depuis qu'elle sentait que ses yeux s'étaient ouverts et qu'ils lui disaient précisément ce qu'elle ne voulait ni savoir, ni entendre. C'était pour elle une chose terrible que cette voix intérieure, sa conscience, qui s'était détachée d'elle-même, qui avait pris la forme de cet enfant, de son enfant, qu'elle voyait marcher auprès d'elle, l'avertissant et la raillant. Jusqu'alors cet enfant avait été attaché à sa vie, comme une parure, un jouet, quelque chose de chéri et d'intime, de gênant aussi, parfois, mais qui toujours avait le rythme de sa vie. Pour la première fois cette « chose » se cabrait et bravait sa volonté. Maintenant montait en elle une sorte de haine quand elle pensait à son enfant.

Cependant, tandis qu'elle descendait l'escalier, un peu fatiguée, elle entendait cette voix enfantine, qui semblait issue de sa propre poitrine, lui dire : « Tu ferais bien de te méfier de lui. » Elle ne pouvait pas étouffer en elle cet avertissement. Une glace brilla devant ses yeux; elle s'y mira d'un regard interrogateur, regard profond, toujours plus profond, jusqu'à ce qu'elle y vît ses lèvres s'ouvrir avec un léger sourire et s'arrondir comme pour lancer un mot moqueur. La voix retentissait toujours en elle; mais elle haussa les épaules, comme si elle rejetait loin d'elle ces vains scrupules, jeta au miroir un dernier et clair regard, releva sa robe et descendit avec le geste résolu d'un joueur qui fait rouler et tinter sur la table sa dernière pièce d'or.

Le garçon d'hôtel qui avait porté à Edgar son repas dans sa chambre où il était aux arrêts referma la porte. Derrière lui la serrure cria. L'enfant se leva furieux : c'était indéniablement sur l'ordre de sa mère qu'on l'enfermait comme une bête méchante. Il se fit dans sa tête un obscur travail de recherches :

« Que se passe-t-il donc en bas, pendant que je suis ici tenu à l'écart? Que peuvent-ils comploter tous deux? Enfin ce secret que je sens partout et toujours lorsque je me trouve parmi des grandes personnes — devant lequel ils ferment leur porte la nuit, qu'ils cachent sous une conversation indifférente quand je m'approche d'eux à l'improviste, ce grand secret va-t-il à présent se manifester en mon absence? Oh! ce secret qui, depuis des jours, est tout près de moi, presque à portée de mes mains et que malgré tout je ne peux pas atteindre! Que n'ai-je pas fait déjà pour le saisir? J'ai pris des livres dans la bibliothèque de papa et je les ai lus, et toutes ces choses remarquables y étaient contenues ; seulement je ne les comprenais pas. Il doit y avoir là quelque sceau qu'il faut d'abord briser pour trouver ce secret — peut-être en moi, peut-être chez les autres. J'ai questionné la bonne; je l'ai priée de m'expliquer les passages de ces livres, mais elle s'est moquée de moi. C'est terrible d'être un enfant avide de savoir et de ne pouvoir questionner les gens, terrible d'être ainsi toujours ridicule devant les grandes personnes, comme si l'on n'était que sottise et inutilité. Mais je vais l'apprendre, ce secret, je le sens, je le saurai bientôt. Une partie en est déjà dans mes mains et je n'aurai pas de cesse avant de le posséder en entier. »

Il prêta l'oreille comme s'il entendait venir quelqu'un. C'était un léger vent qui bruissait parmi les arbres et brisait entre les branches le miroir rigide de la lumière lunaire en cent morceaux flexibles.

« Ce qu'ils projettent tous deux ne peut être rien de bon; autrement ils ne seraient pas allés chercher des mensonges aussi misérables pour me renvoyer. Certainement, ils rient de moi maintenant, ces maudits, ils sont contents d'être enfin débarrassés de ma personne, mais rira bien qui rira le dernier. Quelle sottise de ma part de rester ici emprisonné, de leur donner une seconde de liberté, au lieu de me coller à eux et d'épier chacun de leurs mouvements! Je sais que les grandes personnes sont imprévoyantes. Elles croient que toute notre vie nous restons de petits enfants et que, le soir, nous dormons toujours; elles oublient qu'on peut aussi faire semblant de dormir et être aux aguets, qu'on peut se donner des airs d'imbécile tout en étant très intelligent. Dernièrement, lorsque ma tante a eu un enfant, ils l'attendaient depuis longtemps et ce n'est que devant moi qu'ils ont fait les étonnés comme si c'était pour eux vraiment une surprise. Mais j'étais au courant, moi aussi, car je les ai entendus parler le soir, des semaines auparavant, lorsqu'ils croyaient que je dormais. Et, cette fois aussi, je les surprendrai, ces misérables. Oh! si je pouvais écouter à la porte, les observer en secret, maintenant qu'ils s'imaginent être bien à l'abri! Est-ce que je ne ferais pas bien de sonner? La femme de chambre viendrait ouvrir et me demanderait ce que je veux. Si je faisais du bruit, si je cassais la vaisselle on m'ouvrirait également. Et je pourrais profiter de cette seconde pour m'échapper et aller les surveiller. Mais non, je ne le veux pas. Personne ne doit s'apercevoir de la manière indigne dont ils me traitent. Je suis trop fier pour cela. Demain je leur rendrai bien la monnaie de leur pièce.»

En bas résonna le rire d'une femme. Edgar tressaillit : n'était-ce pas sa mère ? Oui, elle pouvait rire, se moquer de lui — le pauvre diable sans défense que l'on mettait sous clé lorsqu'il était gênant, que l'on jetait dans un coin comme un paquet de linge sale. Il se pencha à la fenêtre avec précaution. Non, ce n'était pas elle, mais des jeunes filles exubérantes et inconnues de lui, qui taquinaient un jeune homme.

Alors, à cet instant, il remarqua que sa fenêtre n'était pas bien haute, que la distance qui le séparait du sol était minime. Immédiatement, l'idée lui vint de sauter par la fenêtre et d'aller les épier, maintenant qu'ils se croyaient tout à fait seuls. Une joie fiévreuse s'empara de lui. Déjà il lui semblait tenir dans ses mains le grand, le brûlant secret de l'enfance. « Sors vite, sors vite », criait en lui une voix frémissante. Le danger était inexistant. Personne ne passait. En un clin d'œil il eut enjambé la barre d'appui; le gravier crissa légèrement. Personne ne l'entendit.

Durant ces deux derniers jours épier, guetter était devenu le plaisir de sa vie. A présent il éprouvait une volupté mêlée à un léger frisson d'anxiété en se glissant autour de l'hôtel, sur la pointe des pieds, tout en évitant avec soin le reflet des lumières. D'abord il regarda dans la salle à manger en collant avec précaution sa joue contre les vitres. Leur place accoutumée était vide. Il regarda alors de fenêtre en fenêtre. Il n'osait pas se risquer à l'intérieur de l'hôtel, de crainte de tomber nez à nez avec eux dans les couloirs. Nulle part il ne les aperçut. Déjà il désespérait lorsqu'il vit deux ombres apparaître sur le seuil de la porte. Il tressaillit et se recroquevilla bien vite dans l'obscurité. Sa mère sortait avec le baron, devenu son inséparable compagnon. Il était donc arrivé au bon moment. Que disaient-ils ? Il ne pouvait pas les comprendre. Ils parlaient tout bas et le vent mettait dans les arbres trop d'agitation et de rumeurs. Mais soudain il entendit rire sa mère. C'était un rire qu'il ne lui connaissait pas, un rire nerveux et excité, étrangement aigu, comme si on la chatouillait, qui semblait venir d'une personne étrangère et qui l'effrayait. Elle riait. Ce ne pouvait donc être rien de dangereux, rien d'extrêmement important ni de très prodigieux qu'on lui cachait. Edgar fut un peu déçu.

Mais pourquoi sortaient-ils de l'hôtel ? Où allaient-ils à présent, seuls dans la nuit ? Tout là-haut couraient, sans doute, des vents aux ailes gigantesques, car le ciel, qui un instant auparavant était encore limpide et tout brillant de lumière, fut brusquement obscurci. Des draps noirs, jetés par des mains invisibles, venaient de recouvrir la lune et la nuit était devenue si impénétrable qu'on pouvait à peine voir le chemin. Mais bientôt l'astre fut délivré et une coulée d'argent se répandit sur le paysage. Mystérieux et excitant comme la coquetterie d'une femme qui tantôt se voile et tantôt se dévoile, ce jeu de lumière et d'ombre continua. Au moment où le paysage découvrait de nouveau son corps luisant, Edgar aperçut au milieu de la route les silhouettes ambulantes du baron et de sa mère, ou plutôt la silhouette unique qu'ils formaient, car ils marchaient pressés l'un contre l'autre, comme en proie à une crainte intérieure. Mais où allaient-ils donc, les deux complices ? Les pins gémissaient ; il y avait dans la forêt une activité inquiétante comme si le *Chasseur sauvage* et sa suite s'y donnaient libre carrière. « Je vais les suivre, se dit Edgar, ils ne peuvent pas entendre mon pas dans ce vacarme du vent et de la forêt. » Et, tandis qu'ils descendaient la pente de la route large et claire, lui, les dominant et caché dans le bois, les suivait en se glissant d'un arbre à l'autre, d'une ombre à une autre ombre. Il les suivait, tenace et implacable, bénissant le vent qui les empêchait de l'entendre, mais le maudissant aussi parce qu'il lui dérobait toujours leurs paroles. Il en était sûr, s'il pouvait saisir leur conversation le secret lui serait connu.

Le couple marchait là-bas sans aucune méfiance. Ils se sentaient heureux d'être ainsi isolés dans cette nuit vaste et agitée et ils s'abandonnaient à leur excitation grandissante. Ils ne se doutaient pas qu'au-dessus d'eux, dans l'obscurité aux multiples rameaux, chacun de leurs pas était suivi et que deux yeux pleins de curiosité et de haine ne les lâchaient pas une minute.

Soudain ils firent halte. Edgar, lui aussi, s'arrêta aussitôt et se colla contre un arbre. Une peur furieuse s'empara de lui. Qu'allait-il se passer si à présent ils faisaient demi-tour et rentraient à l'hôtel avant lui, s'il ne pouvait pas regagner sa chambre avant leur arrivée? Alors tout serait perdu, alors ils sauraient qu'il les guettait secrètement et il ne pourrait jamais plus espérer leur arracher le secret tant cherché. Mais les deux promeneurs avaient l'air indécis. Heureusement qu'il faisait clair de lune et qu'il pouvait tout voir avec netteté. Le baron montrait du doigt un petit chemin contigu plongé dans l'obscurité, qui conduisait dans la vallée, où la lune ne faisait pas couler comme ici, sur la route, un grand fleuve de lumière, mais laissait simplement filtrer à travers les fourrés quelques gouttes lumineuses et d'étranges rayons. « Pourquoi veut-il descendre par là? » se demanda Edgar en tressaillant. Sa mère semblait dire non, mais l'autre se mit à parler. A la façon dont il gesticulait, Edgar pouvait se rendre compte de l'insistance du baron. L'enfant fut saisi de peur. Cet homme, que voulait-il à sa mère ? Pourquoi ce coquin essayait-il de l'entraîner dans l'obscurité ? De ses livres surgirent brusquement à son esprit de vivants souvenirs d'assassinats et d'enlèvements, de crimes ténébreux. A coup sûr, il voulait la tuer et c'était pour l'attirer ici dans la solitude qu'il l'avait écarté, lui. Ne devait-il pas appeler au secours, crier à l'assassin ! » Déjà l'appel allait sortir de son gosier, mais ses lèvres desséchées ne proférèrent aucun son. Ses nerfs étaient tendus par l'émotion, à peine s'il pouvait encore se tenir debout : dans son épouvante il chercha un point d'ap-

pui, une branche craqua entre ses mains.
Les deux silhouettes se retournèrent effrayées et essayèrent de percer les ténèbres de la forêt. Collé de plus belle contre l'arbre, ses bras ramenés le long de son petit corps, tapi dans la profondeur de l'ombre, Edgar se tint coi. Il n'y eut plus qu'un silence de mort. Mais, malgré tout, ils ne paraissaient pas rassurés. « Rentrons » fit la mère anxieuse. Le baron, inquiet lui-même, acquiesça. Ils revinrent lentement sur leurs pas, étroitement serrés l'un contre l'autre. Leur malaise intérieur était pour Edgar un délice. A quatre pattes, sous le couvert du bois, il rampa, s'ensanglantant les mains, jusqu'au tournant de la forêt et, de là, il courut à toutes jambes, au point que la respiration lui manquait, jusqu'à l'hôtel, où, en quelques bonds, il fut en haut de l'escalier. La clé qui l'avait enfermé était heureusement dans la serrure; la tourner, se précipiter dans la chambre et se jeter sur son lit fut l'affaire d'un instant. Il fut obligé de rester là immobile pendant quelques minutes, car son cœur battait impétueusement dans sa poitrine — comme un battant de cloche contre sa paroi sonore.

Puis, ayant repris courage, il se leva, s'appuya à la fenêtre et attendit leur retour. Cela dura longtemps. Sans doute qu'ils marchaient très lentement. Il guettait avec précaution de la croisée plongée dans l'ombre. Maintenant il les voyait s'avancer tout doucement, leurs vêtements brillant au clair de lune. Ils avaient l'air de fantômes dans cette lumière verte; de nouveau l'enfant se demanda soudain, avec horreur, si ce n'était pas là en vérité un assassin et si sa surveillance ne venait pas d'empêcher quelque terrible événement. Il apercevait nettement leurs visages blancs comme de la craie. Dans celui de sa mère il y avait une expression de ravissement qu'il ne lui connaissait pas ; le baron, au contraire, paraissait mécontent. Certainement parce que son dessein avait échoué.

Ils étaient déjà tout près. Leurs silhouettes ne se séparèrent que quand ils furent presque devant l'hôtel. Allaient-ils lever les yeux vers l'étage où il était? Non, ni l'un ni l'autre ne regarda de ce côté. « Ils m'ont oublié », pensa l'enfant avec une irritation sauvage et en même temps un secret sentiment de triomphe. « Mais, moi, je ne vous ai pas oubliés, vous pensez sans doute que je dors ou que je n'existe pas, mais vous vous apercevrez de votre erreur. Je surveillerai chacun de vos pas jusqu'à ce que je lui aie arraché, à ce scélérat, le secret, le secret terrible qui ne me laisse pas dormir. J'arriverai bien à rompre votre alliance. Je ne dors pas. »

Les deux promeneurs franchirent la porte de l'hôtel. Et lorsqu'ils furent entrés l'un derrière l'autre leurs silhouettes traînant à terre s'enlacèrent de nouveau pendant une seconde avant que leur ombre, maintenant semblable à une raie noire, ne disparût dans la lumière de la porte. Puis la place devant l'immeuble redevint toute brillante, sous le clair de lune, comme une vaste plaine de neige.

Edgar se retira de la fenêtre, tout haletant. Il frissonnait de peur. Jamais encore il n'avait été aussi près d'un mystère semblable. Le monde des émotions, des aventures sensationnelles, le monde de meurtres et de tromperies qu'il avait trouvé dans ses livres n'existait, à ce qu'il croyait, qu'au royaume des contes, au delà des rêves, dans l'irréel et l'inaccessible. Mais, maintenant, brusquement, il lui semblait être tombé dans ce monde effrayant, et tout son être en était fiévreusement secoué. Qui était cet homme mystérieux, entré soudain dans leur vie paisible ? Etait-ce réellement un assassin, que toujours il cherchait les endroits écartés et voulait entraîner sa mère où il faisait sombre? Sûrement, quelque chose de terrible allait se produire. Que faire? Demain matin, sans faute, il écrirait à son père ou lui télégraphierait. Mais l'événement ne risquait-il pas de se produire ce soir même? Sa mère n'était pas encore montée: elle était toujours avec cet étranger, avec cet homme maudit.

Entre la porte de la chambre et celle donnant sur le couloir était un étroit espace, pas plus grand qu'une armoire. Caché par un rideau l'enfant se tapit dans cet endroit obscur pour épier leurs pas car, il l'avait décidé, il ne les laisserait pas seuls, ne fût-ce qu'un instant. Il était minuit, le couloir était désert, faiblement éclairé par une seule lumière.

Enfin (les minutes lui paraissaient terriblement longues) il entendit des pas dans l'escalier. Il tendit l'oreille. Ce n'était pas la marche de quelqu'un qui s'empresse de regagner sa chambre, mais des pas ralentis, tortueux, hésitants, comme quand on gravit un chemin difficile et abrupt. De temps en temps on percevait des chuchotements suivis d'arrêts répétés. Edgar tremblait d'émotion. Etaient-ce enfin eux ? Se trouvait-il encore avec elle? Les murmures étaient trop éloignés. Mais les pas, quoique encore hésitants, devenaient plus distincts. Alors il entendit soudain la voix haïe du baron dire tout bas et sourdement quelque chose qu'il ne comprit pas, puis aussitôt la réponse rapide de sa mère : « Non, non, pas aujourd'hui. » Edgar tremblait de plus en plus, ils se rapprochaient et il allait forcément tout entendre. Chaque pas qui s'avançait vers lui, aussi léger qu'il fût, lui faisait mal au cœur. Et comme la voix de l'homme qu'il haïssait lui paraissait odieuse — cette voix antipathique, avide et insistante. « Ne soyez pas cruelle, vous étiez si belle ce soir », disait le baron. Et l'autre répondait : « Non, je ne dois pas, je ne peux pas, laissez-moi. »

Il y avait tant d'angoisse dans la voix de sa mère que l'enfant en était effrayé. Que veut-il donc d'elle? Pourquoi a-t-elle peur? Ils se sont encore rapprochés et ils doivent être devant la porte. Lui est là derrière eux, tremblant et invisible, à portée de la main, abrité seulement par la mince épaisseur de l'étoffe. Les voix sont à présent à une longueur d'haleine.

« Venez, Mathilde, venez. » De nouveau il entend sa mère soupirer, plus faiblement, cette fois; sa résistance faiblissait.

Mais que se passe-t-il? Ils ont continué de marcher dans l'obscurité. Sa mère a passé devant sa chambre sans y entrer. Où l'entraîne-t-il? Pourquoi ne parle-t-elle plus? Lui a-t-il mis un bâillon ou lui serre-t-il la gorge?

Ces pensées le rendent fou. D'une main tremblante il entr'ouvre la porte de quelques centimètres. Maintenant il les voit tous deux dans le couloir plongé dans l'ombre. Le baron a passé son bras autour des hanches de sa mère et il l'entraîne doucement; elle paraît céder. Ils s'arrêtent devant la chambre de cet homme. « Il veut l'y faire entrer de force, pense l'enfant effrayé, c'est à présent qu'il va commettre son crime. »

D'un mouvement sauvage il ouvre la porte et s'élance vers le baron et sa mère. Celle-ci voyant sortir brusquement de l'obscurité quelque chose qui se précipite sur elle pousse un cri et semble s'évanouir. Le baron la soutient avec peine. Mais il sent, à cette seconde, sur son visage un petit poing qui, malgré sa faiblesse, lui écrase la lèvre contre les dents, quelque chose qui s'agrippe à son corps à la manière d'un chat. Il lâche la femme effrayée, qui s'enfuit rapidement et, avant même de savoir contre qui il se défend, il essaie, sans y voir, de rendre les coups qu'il reçoit.

L'enfant sait qu'il est le plus faible, mais il ne cède pas. Enfin, enfin, voici le moment si longtemps attendu de se venger de son amour trahi, de décharger toute la haine qu'il a accumulée. Avec ses petits poings il tape en aveugle sur son adversaire, les dents serrées, fiévreusement, follement. Le baron, qui maintenant l'a reconnu, se dresse lui aussi plein de haine contre cet espion qui a troublé ses derniers jours de vacances et qui l'a empêché de gagner la partie qu'il avait engagée ; il frappe rudement au hasard. Edgar gémit, mais ne lâche pas et n'appelle pas au secours. Ils luttent pendant une minute, muets et crispés, dans le couloir qu'emplit l'ombre de minuit. Le baron se rendant compte peu à peu de ce qu'a de ridicule cette bataille avec un gamin à peine formé veut empoigner l'enfant pour l'écarter de lui. Mais celui-ci, qui sent ses muscles faiblir et voit que dans une seconde il va être vaincu, mord avec une fureur sauvage la main énergique qui a voulu le saisir par la nuque. Involontairement le baron pousse un cri sourd et lâche prise. Edgar en profite pour se réfugier dans sa chambre et fermer la porte au verrou.

Ce combat de minuit n'a duré qu'une minute. Ni à droite ni à gauche on n'a rien entendu. Tout est silencieux, tout paraît plongé dans le sommeil. Le baron essuie avec son mouchoir sa main qui saigne, il regarde dans l'ombre avec inquiétude. Personne n'a vu ce qui s'est passé. Seule, là-haut, scintille, ironiquement, lui semble-t-il, une dernière lumière, une lumière inquiète.

« Etait-ce un rêve, un mauvais et terrible rêve ? » se demanda Edgar le lendemain matin, lorsqu'il se réveilla, tout échevelé, en proie à une anxiété confuse. Sa tête bourdonnait; ses articulations semblaient figées; en se regardant. il s'aperçut avec effroi qu'il avait conservé ses vêtements. Il se leva vivement, se dirigea en chancelant vers la glace et recula avec horreur en voyant son visage pâle et bouleversé, son front enflé et strié de rouge. Il se recueillit péniblement et se rappela alors, avec angoisse, ce qui s'était passé, le combat nocturne dans le couloir, son retour précipité dans sa chambre; il se souvint que, tremblant de fièvre, il s'était jeté sur son lit tout habillé, prêt à prendre la fuite. Sans doute qu'ensuite il s'était laissé aller à ce sommeil lourd et accablant au cours duquel la scène du couloir s'était reproduite, mais d'une manière différente et encore plus terrible, puisqu'une odeur humide et fade de sang lui montait aux narines.

En bas, des pas faisaient crisser le gravier,

des voix s'élevaient dans l'air comme d'invisibles oiseaux; le soleil envahissait sa chambre. Sans doute que la matinée était déjà très avancée; il regarda sa montre et s'aperçut qu'elle marquait minuit : dans son émotion, il avait oublié de la remonter. Cette incertitude concernant l'heure venait encore aggraver le trouble que lui causait son ignorance de ce qui s'était exactement passé la veille. Il fit vite sa toilette et descendit en proie à une certaine agitation et à un léger sentiment de culpabilité.

Dans la salle à manger sa mère était seule à la table habituelle. Edgar respira en constatant que son ennemi ne s'y trouvait pas et qu'il ne verrait pas ce visage haï, que la veille dans sa colère son poing avait frappé. Et pourtant en s'approchant de la table il ne se sentait pas sûr de lui-même.

« Bonjour », fit-il.

Sa mère ne répondit pas. Elle ne le regarda même pas. Son regard d'une fixité singulière était dirigé sur le paysage, droit devant elle. Elle était très pâle, ses yeux étaient légèrement cernés; ses narines avaient ce frémissement qu'Edgar connaissait et qui trahissait si bien sa nervosité. L'enfant se mordit les lèvres. Ce silence le troublait. Il ignorait si la veille il n'avait pas blessé sérieusement le baron et si sa mère était au courant du combat nocturne. Il en était très tourmenté. Le visage de sa mère, toujours immobile, lui semblait si peu rassurant qu'il n'essayait même pas de la regarder, de peur que ces yeux maintenant baissés ne bondissent soudain derrière leurs paupières voilées et ne l'étreignissent. Il ne disait pas un mot, n'osait pas faire le moindre bruit, au point que c'était avec la plus grande précaution qu'il levait sa tasse et qu'il la reposait sur la soucoupe; parfois il jetait les yeux à la dérobée sur les doigts de sa mère qui jouaient nerveusement avec la cuillère et dont la crispation révélait une secrète colère.

Pendant un quart d'heure il resta ainsi assis, dans l'attente vague d'une chose qui ne venait pas. Pas un mot, pas un seul, ne vint le tirer de sa perplexité. Lorsque sa mère se leva, toujours sans faire la moindre attention à sa présence, il ne savait quelle attitude prendre : devait-il rester seul à table ou l'accompagner? Cependant, il finit par se lever et la suivit humblement, tandis qu'elle faisait comme si elle ne le voyait pas. L'enfant sentait tout le ridicule de cette façon de marcher derrière ses jupes. Il faisait des pas de plus en plus petits pour augmenter la distance qui le séparait d'elle; sans se soucier de lui, elle entra dans sa chambre et lui claqua la porte au nez.

Que s'était-il passé? Il ne se reconnaissait plus. Son assurance de la veille l'avait abandonné. N'avait-il pas eu tort d'attaquer ainsi le baron? Et lui préparaient-ils un châtiment ou une nouvelle humiliation? Quelque chose de terrible, il s'en rendait compte, allait se produire sans tarder. Entre sa mère et lui régnait la lourdeur d'un orage imminent, la tension électrique de deux pôles qui devait fatalement déchaîner la foudre. Pendant quatre heures, il traîna d'une pièce à l'autre le fardeau de ce pressentiment, jusqu'à ce que sa frêle nuque d'enfant pliât sous un poids invisible et que, à midi, il se mît à table dans une attitude d'humilité complète.

« Bonjour », dit-il de nouveau. Il avait besoin de rompre ce silence menaçant qui était suspendu au-dessus de lui comme un nuage noir.

Cette fois encore sa mère ne lui répondit pas, cette fois encore elle ne le regarda même pas. Et, avec un nouvel effroi, Edgar se sentit en face d'une colère réfléchie et concentrée qui lui était inconnue. Jusqu'alors les conflits qu'ils avaient eus ensemble avaient toujours été des accès de colère provenant plutôt des nerfs que du sentiment et qu'un sourire avait vite apaisés. Mais cette fois-ci, il s'en rendait compte, il avait soulevé contre lui dans l'âme de sa mère un profond ressentiment et il était effrayé devant cette puissance qu'il avait déchaînée. A peine put-il manger. Dans son gosier passait quelque chose de sec qui menaçait de l'étrangler. Sa mère paraissait ne rien remarquer de tout cela. Ce n'est qu'en se levant qu'elle se retourna comme par hasard, en disant :

— Monte, Edgar, j'ai à te parler.

Cela n'était pas dit sur un ton de menace,

mais d'une voix si glaciale qu'Edgar en éprouva un frisson comme si soudain on lui avait mis une chaîne autour du cou. Son arrogance était vaincue; en silence, comme un chien battu, il la suivit dans sa chambre.

Elle prolongea son tourment, en ne disant rien pendant quelques minutes, au cours desquelles il entendait le tic tac de sa montre, le rire d'un enfant, au dehors, et en lui-même le battement précipité de son cœur. Mais il y avait sans doute en elle aussi une grande appréhension, car, maintenant qu'elle lui parlait, elle ne le regardait pas, au contraire elle lui tournait le dos.

— Je ne veux pas parler de ta conduite d'hier. Ça été un scandale et j'ai honte d'y penser. Tu en supporteras les conséquences. Pour le moment, je ne veux te dire qu'une chose : c'est fini pour toi d'être admis parmi les grandes personnes. Je viens d'écrire à ton papa pour qu'il te donne un précepteur ou te mette dans une pension, afin d'apprendre les bonnes manières. Je ne veux plus me tourmenter avec toi.

Edgar était là debout, tête baissée. Il sentait que ce n'était qu'un préambule, une menace, et il attendait, avec inquiétude, le principal.

— A présent tu vas t'excuser tout de suite auprès du baron.

Edgar eut un frémissement, mais elle ne lui permit pas de l'interrompre.

— Le baron est parti en voyage aujourd'hui et tu vas lui écrire une lettre que je vais te dicter.

Edgar s'agita de nouveau, mais sa mère se montra ferme.

— Pas de protestations ! Voici du papier et de l'encre, assieds-toi.

Edgar la regarda. Ses yeux étaient durcis par une résolution inflexible. Jamais il n'avait vu sa mère si énergique et tranchante. Il eut peur. Il s'assit, prit la plume et pencha bien bas son visage sur la table.

— En haut, la date... Y es-tu ? Une ligne de blanc... Bien... « Monsieur »... Une nouvelle ligne de blanc... « J'apprends avec regret (tu y es ?) que vous avez déjà quitté le Semmering (*Semmering* avec deux *m*) et je suis obligé de faire par lettre ce que j'avais l'intention de faire en personne, c'est-à-dire (un peu plus vite, il n'est pas nécessaire de calligraphier) de vous prier de m'excuser de ma conduite d'hier. Comme maman vous l'aura dit, je suis à peine remis d'une grave maladie et je suis encore très irritable. Ce qui fait que je vois souvent certaines choses sous un jour exagéré et me laisse aller à des attitudes ou à des actes que l'instant d'après je regrette ».

Le dos courbé sur la table se redressa vivement. Edgar se retourna ; son arrogance était réveillée.

— Je n'écris pas cela, car ce n'est pas vrai.

— Edgar ! cria-t-elle sur un ton de menace.

— Ce n'est pas vrai. Je n'ai rien fait que j'aie à regretter. Je n'ai rien fait de mal dont j'aie à m'excuser. Je suis simplement venu à ton secours, lorsque tu as appelé.

Les lèvres de la mère pâlirent, ses narines se dilatèrent.

— J'ai appelé au secours ? Tu es fou.

Edgar se mit en colère. Il se dressa brusquement.

— Oui, tu as appelé au secours, dans le couloir, hier soir, lorsqu'il a mis la main sur toi. « Laissez-moi, laissez-moi », as-tu crié. Si fort que je l'ai entendu de ma chambre.

— Tu mens, je n'ai jamais été avec le baron dans le couloir, Il m'a simplement accompagnée jusqu'au pied de l'escalier...

Devant ce mensonge audacieux, le cœur d'Edgar s'arrêta. La parole lui manqua, il regarda fixement sa mère d'un œil vitreux.

— Tu... Tu n'étais pas... dans le couloir ? Et lui... il ne t'a pas prise par le bras ? Il ne t'a pas empoignée avec violence ?

Elle fit entendre un rire froid et sec.

— Tu as rêvé.

C'en était trop pour l'enfant. Il savait bien déjà que les grandes personnes mentaient, qu'elles avaient recours à de subtils et hardis faux-fuyants, à des mensonges glissant entre les mailles étroites de la vérité et à de malignes équivoques. Mais cette façon impudente et froide de nier les choses les plus vraies le rendait enragé.

— Et ces rayures sanglantes, je les ai aussi rêvées ?

— Qui sait avec qui tu t'es battu ? Mais je

n'ai pas à discuter avec toi ; tu dois obéir, un point, c'est tout. Assois-toi et écris.

Elle était très pâle et elle employait toutes ses forces pour garder son sang-froid.

Mais soudain Edgar éclata ; c'était comme une dernière flamme jaillie de sa foi. Il ne pouvait pas comprendre qu'on foulât aux pieds, si simplement, la vérité, comme une allumette enflammée. Un frisson le parcourut et tout ce qu'il dit fut cinglant, mordant, méchant :

— Ah ! tout cela, je l'ai rêvé ! Ce qui s'est passé dans le couloir et ces raies sanglantes ? Et aussi qu'hier vous vous êtes promenés tous deux au clair de lune et qu'il voulait te faire descendre dans le bas du chemin, ça aussi je l'ai rêvé, peut-être ? Tu crois que je me laisse enfermer dans ma chambre comme un petit enfant ! Non, je ne suis pas aussi sot que vous le croyez ! Je sais ce que je fais.

Il la dévisagea avec effronterie et cela lui ôta son calme de voir ainsi dressé contre elle et crispé par la haine le visage de son propre enfant ! Sa colère fit explosion.

— Allons, écris immédiatement ou sinon...

— Sinon quoi ?... Sa voix était maintenant devenue provocante.

— Je te rosse comme un petit enfant.

Edgar fit un pas vers sa mère en se contentant de rire ironiquement.

Une gifle s'abattit sur sa figure. L'enfant poussa un cri et, comme quelqu'un qui se noie, dont les oreilles bourdonnent et les mains s'agitent aveuglément autour de lui, une lueur rouge passant devant ses yeux, il se mit à frapper au hasard avec ses poings. Il sentit qu'il avait atteint quelque chose de doux, que sa main avait rencontré un visage, il entendit un cri...

Cette exclamation le rappela à la vérité. Il vit soudain ce qu'il faisait et il eut conscience de cette chose inouïe : il battait sa mère. Il fut saisi d'angoisse, la honte et l'effroi, le besoin irrésistible de fuir, de s'enfoncer sous terre, s'empara de lui. Il bondit vers la porte, dégringola l'escalier, traversa la maison, gagna la route et se mit à courir comme si une meute furieuse le poursuivait.

Enfin, bien loin, il s'arrêta. Il fut obligé de s'appuyer à un arbre; ses jambes tremblaient, son souffle sortait comme un râle de sa poitrine haletante. L'horreur de son action avait galopé derrière lui ; elle étreignait sa gorge et secouait son être comme dans une sorte de fièvre. A présent qu'allait-il faire ? Où se réfugier ? Car, ici déjà, dans la forêt familière, à un quart d'heure seulement de l'hôtel, il se sentait abandonné. Tout lui paraissait insensible, froid, hostile, maintenant qu'il était seul et sans appui. Les arbres qui, la veille, l'entouraient de leurs murmures fraternels se figeaient brusquement et leur ombre devenait menaçante. Mais combien ce qui l'attendait allait être plus dur encore ! Cet isolement dans l'univers vaste et ignoré donnait à l'enfant le vertige. Non, il n'avait pas encore la force de supporter tout cela, de le supporter seul. Mais auprès de qui chercher un refuge ? Il avait peur de son père qui était peu abordable, vite en colère, et qui le renverrait tout de suite. Or, il ne voulait pas revenir auprès de sa mère ; il préférait encore le périlleux mystère de l'inconnu. Il lui semblait qu'il ne pourrait plus voir le visage de sa mère sans penser que son poing l'avait frappé.

Alors il se rappela sa grand'mère, cette bonne et aimable vieille femme qui, depuis son enfance, l'avait gâté, qui toujours avait été sa protectrice lorsque, chez lui, une punition ou une injustice le menaçait. C'est auprès d'elle, à Baden, près de Vienne, qu'il se cacherait ; de là, il écrirait plus tard une lettre à ses parents pour s'excuser.

Ce premier quart d'heure de solitude l'avait déjà rendu si humble qu'à la pensée de se trouver seul au monde et sans expérience il maudissait sa fierté, cette fierté stupide qu'un étranger, en le trompant, avait fait naître en lui. Il ne voulait être que l'enfant de naguère, obéissant, patient et sans rien de cette prétention dont il sentait maintenant le ridicule.

Mais comment se rendre à Baden ? Comment parcourir ces lieues et ces lieues qui le séparaient de là-bas ? Vivement il saisit son petit porte-monnaie de cuir qu'il avait toujours sur lui. Dieu merci ! Elle y luisait encore la pièce d'or toute neuve de vingt couronnes qui lui avait été donnée pour sa fête. Jamais il n'avait pu se résoudre à la changer. Presque chaque jour il avait regardé si elle était encore là ; il s'était repu de sa vue, il s'était, grâce à elle, senti riche et, avec une tendresse reconnaissante, il l'avait frottée avec son mouchoir jusqu'à ce qu'elle brillât comme un petit soleil. Mais (cette brusque pensée l'effraya) cet argent suffirait-t-il ? Certes il avait souvent voyagé en chemin de fer mais sans penser qu'il fallait payer, sans se demander combien cela pouvait coûter, une couronne ou bien cent. Pour la première fois il se rendait compte qu'il y avait dans la vie des choses auxquelles il n'avait jamais songé, que les nombreux objets parmi lesquels il avait vécu, qu'il avait eus entre ses doigts et avec lesquels il avait joué, possédaient une valeur propre et avaient un sens particulier. Il s'apercevait, lui qui, une heure plus tôt, s'imaginait tout savoir, qu'il était passé indifférent à côté de mille questions et secrets et il était honteux que sa pauvre sagesse trébuchât déjà au premier pas qu'il faisait dans la vie. Il était de plus en plus hésitant et sa marche incertaine se faisait toujours plus timide à mesure qu'il s'approchait de la gare. Que de fois il avait rêvé à une fuite pareille ! Que de fois il avait songé à s'élancer dans la vie, à devenir empereur ou roi, soldat ou poète ! Et maintenant il était là tout peureux en regardant la petite maison claire qui se dressait devant la voie ferrée et il ne pensait qu'à une chose : les vingt couronnes suffiraient-elles pour le transporter jusque chez grand'mère ?

Les rails luisants couraient dans le lointain, la gare était presque déserte. Edgar se glissa craintivement vers la caisse et demanda à voix basse, pour que personne ne pût l'entendre, combien coûtait un billet pour Baden. Derrière le guichet sombre un visage étonné le regarda et, sous leurs lunettes, deux yeux souriants se posèrent sur l'enfant plein d'anxiété :

— Une place entière ?

— Oui, balbutia Edgar.

Mais c'était sans la moindre fierté, avec la peur, au contraire, que le prix ne fût trop élevé.

— Six couronnes.

— S'il vous plaît.

L'âme allégée, il tendit la pièce brillante et bien-aimée ; de l'argent tinta et lui fut donné en échange ; Edgar se sentait de nouveau indiciblement riche, maintenant qu'il avait dans sa main le morceau de carton brun qui lui assurait la liberté et que dans sa poche résonnait en sourdine la musique des pièces d'argent. L'indicateur lui apprit que le train arriverait dans vingt minutes. Edgar se blottit dans un coin. Quelques personnes étaient sur le quai, attendant comme lui et ne pensant à rien. Mais il semblait à l'enfant inquiet que ces gens le regardaient. Il lui semblait que tous s'étonnaient de voir ainsi un petit garçon voyager seul, comme si son front portait la révélation de son crime et de sa fugue. Il respira lorsqu'il entendit enfin au loin le premier hurlement du train et ensuite le bruit que faisait celui-ci en s'approchant, le bruit du train qui allait l'emporter dans l'univers. Ce n'est qu'en montant dans le wagon qu'il vit qu'il avait un billet de troisième classe. Jusqu'alors il avait toujours voyagé en première ; de nouveau, il remarqua qu'il y avait là quelque chose de changé, qu'il y avait dans le monde des distinctions lui ayant échappé jusqu'à présent. Des ouvriers italiens aux voix rudes et tenant entre leurs mains calleuses des pioches et des pelles étaient assis en face de lui et regardaient devant eux de leurs yeux tristes et hébétés. On voyait qu'ils venaient de travailler péniblement, car quelques-uns étaient fatigués au point qu'ils dormaient dans le train ronronnant, adossés au bois dur et crasseux, la bouche ouverte. Ils avaient travaillé pour gagner de l'argent, pensait Edgar, mais il ne se rendait pas compte de la somme qu'ils pouvaient bien avoir gagnée. Cependant, il savait maintenant que l'argent était une chose que l'on ne possédait pas toujours, qu'il fallait l'acquérir de quelque façon que ce fût. Il avait à présent conscience d'avoir été habitué à considérer comme naturelle l'atmosphère de bien-être dans laquelle il avait vécu, alors qu'à droite et à gauche de son existence béaient des abîmes auxquels son regard n'avait jamais fait attention. Il remarquait brusquement qu'il y avait des professions et des situations diverses, que sa vie était bordée de mystères faciles à constater et que, pourtant, il les avait toujours ignorés. Edgar en cette heure-là apprit beaucoup. Maintenant qu'il était livré à lui-même dans cet étroit compartiment aux fenêtres ouvertes sur l'horizon ses yeux commençaient à voir et tout doucement, au milieu de son obscure anxiété, quelque chose commença à s'épanouir qui n'était pas encore du bonheur, mais qui était déjà un sentiment d'admiration devant l'aspect multiple de la vie. Il s'était enfui par peur et par lâcheté, il le sentait à chaque instant, mais, malgré tout, c'était la première fois qu'il agissait de son propre mouvement ; c'était la première fois qu'il prenait contact avec cette réalité à côté de laquelle jusqu'ici il passait indifférent. Et peut-être était-il lui-même devenu un mystère pour sa mère et pour son père, tout comme l'univers l'avait été jusqu'alors pour lui. Il regardait par la fenêtre avec des yeux neufs et il lui semblait que le voile qui jusqu'ici lui cachait les choses venait de tomber et que celles-ci lui montraient ce qu'elles étaient, leur âme, le nerf secret de leur activité. Les maisons volaient devant lui comme emportées par le vent et il pensait sans le vouloir aux hommes qui y habitaient, se demandant s'ils étaient riches ou pauvres, heureux ou malheureux, s'ils avaient comme lui le désir de tout connaître et s'il y avait des enfants qui, eux aussi, n'avaient fait jusqu'à présent que jouer avec les choses. Les gardes barrières qui se tenaient le long de la voie avec leurs drapeaux déployés ne lui paraissaient plus comme auparavant des mannequins, des poupées sans initiative, des jouets sans vie ; il comprenait que c'était là leur destin et leur façon de lutter pour l'existence. Les roues roulaient toujours plus vite ; maintenant les courbes serpentines de la voie conduisaient le train vers le fond de la vallée. Les montagnes s'éloignaient et disparaissaient de plus en plus, on avait atteint la plaine. Une fois encore il regarda dans leur direction ; déjà, là-bas, elles étaient bleues et semblables à des ombres. Subitement il lui sembla que dans ces lointains nébuleux où elles se dissolvaient lentement était restée son enfance.

Cependant lorsque le train se fut arrêté à Baden et qu'Edgar se trouva seul sur le quai, où déjà des lumières étaient allumées, où des signaux verts et rouges lançaient leurs avertissements, une angoisse soudaine devant la nuit qui arrivait saisit l'enfant. Pendant le jour, il s'était encore senti en sûreté, mais comment pourrait-il supporter sa situation une fois que les hommes se seraient engouffrés dans leurs maisons, où les attendaient une famille, un lit, une nuit paisible, et que lui errerait seul çà et là, avec la conscience de sa faute, au milieu d'une solitude étrangère. Oh ! vite qu'il ait un toit au-dessus de lui ! Qu'il ne reste plus une seule minute dehors, sous ce ciel inconnu !

Il s'engaga rapidement sur le chemin qui lui était familier sans regarder à droite ni à gauche, jusqu'à ce qu'il se trouvât enfin devant la villa habitée par sa grand'mère. Elle était admirablement située au bord d'une large rue, mais elle se dérobait aux regards sous les pampres et le lierre d'un jardin bien entretenu, comme une chose brillante derrière un nuage de verdure, — blanche maison sympathique d'une époque ancienne. Edgar jeta un coup d'œil à travers la grille, comme un étranger. A l'intérieur rien ne remuait ; les fenêtres étaient fermées. Sans doute que les habitants étaient derrière, dans le jardin. Déjà Edgar mettait la main sur la froide poignée lorsqu'une chose étrange se produisit : brusquement ce qui depuis deux heures lui semblait si facile, si naturel, lui paraissait impossible. Comment allait-il entrer ? Comment se présenterait-il ? Quelles réponses ferait-il aux questions qu'on lui poserait ? Comment pourrait-il supporter ce premier regard qu'on jetterait sur lui lorsqu'il serait obligé d'avouer qu'il s'était enfui ? Et comment surtout expliquer la monstruosité de son acte, que déjà il ne concevait plus lui-même ? A l'intérieur une porte s'ouvrit. Soudain il fut saisi d'une peur folle en pensant que quelqu'un pourrait venir et il s'enfuit précipitamment, sans savoir où il allait.

Il s'arrêta devant le parc municipal, parce qu'il y vit de l'obscurité et qu'il supposait qu'il n'y avait personne. Là peut-être il lui serait possible de s'asseoir, de se reposer et enfin de réfléchir un peu à sa situation. Il se glissa dans le parc avec timidité. A l'entrée brûlaient quelques lumières qui donnaient aux feuilles encore jeunes une lueur aqueuse et fantomatique, d'un vert transparent ; mais plus loin, là où il lui fallait descendre la déclivité du jardin, tout était plongé dans les ténèbres confuses d'une nuit de précoce printemps et faisait penser à une seule masse noire en fermentation. Edgar passa craintivement à côté des personnes assises sous le cercle lumineux des becs de gaz et en train de causer ou de lire : il voulait être seul. Mais là-bas dans l'ombre des allées non éclairées vers lesquelles il se dirigeait ne régnait pas le silence. Tout y était rempli d'un murmure léger et de chuchotements furtifs qui parfois se mêlaient au souffle du vent dans les feuilles flexibles, au glissement de pas éloignés, au faible bruit de voix en sourdine, à cette sorte de musique voluptueuse, faite de soupirs et de gémissements inquiets, qui semblait provenir des hommes et des bêtes ainsi que du sommeil fiévreux de la nature. Il y avait quelque chose d'énigmatique, d'inquiétant, de menaçant dans toute cette agitation qui peut-être n'était que l'effet du printemps, mais qui remplissait d'une étrange anxiété l'enfant désemparé.

Il s'assit sur un banc, se faisant tout petit, dans cette obscurité mystérieuse, et il essaya de réfléchir à ce qu'il pourrait bien raconter chez sa grand'mère. Mais les pensées lui échappaient avant qu'il pût les saisir ; malgré lui il était obligé de prêter uniquement l'oreille aux rumeurs sourdes, aux voix mystiques de la nuit. Comme ces ténèbres étaient troublantes et terribles ! Et pourtant quelle beauté magique il y avait en elles ! D'où provenaient tous ces bruits et tous ces froissements, ces murmures et ces appels ? Il écoutait. C'était le vent qui glissait entre les arbres et qui en agitait le feuillage, mais (maintenant il s'en rendait compte distinctement) il y avait aussi là-bas des humains, des couples, qui venaient de la ville lumineuse et qui animaient les ténèbres de leur présence énigmatique. Qu'est-ce qui les amenait ici ? Edgar ne pouvait pas le comprendre ; ils ne parlaient pas, car il n'entendait aucune voix ; seuls leurs pas grinçaient sur le gravier et de temps en temps il voyait dans la clairière leurs silhouettes passer furtivement, telles des ombres, — toujours enlacées comme il avait vu sa mère avec le baron. Ce secret, ce grand secret brûlant et mystérieux il le rencontrait donc ici aussi. A présent, il entendait des pas se rapprocher de plus en plus, ainsi qu'un rire étouffé. Il eut peur que les gens qui s'avançaient dans sa direction ne le découvrissent et il s'enfonça encore davantage au cœur de l'obscurité. Mais les deux personnes qui maintenant montaient l'allée presque en tâtonnant à travers les ténèbres impénétrables ne le virent pas. Elles passèrent devant lui, — enlacées ; déjà Edgar reprenait haleine, lorsque soudain leurs pas s'arrêtèrent juste à côté de son banc. Leurs figures se pressèrent l'une contre l'autre. Il ne pouvait rien apercevoir distinctement ; il entendait seulement un gémissement sortir de la bouche de la femme, cependant que l'homme balbutiait des paroles ardentes et folles. Un pressentiment vague et fiévreux mêlait un frisson de volupté à l'anxiété d'Edgar. Ils restèrent ainsi pendant une minute, puis le gravier crissa de nouveau sous leurs pas, qui se perdirent bientôt dans la nuit.

L'enfant était tout frémissant. Dans ses veines courait un sang chaud et ardent. Tout à coup, il se sentit ineffablement seul dans ces ténèbres troublantes et il éprouva le besoin irrésistible d'entendre une voix amie, le besoin d'être embrassé, de se trouver dans une pièce bien éclairée à côté des êtres qu'il aimait. Il lui semblait que toute l'obscurité inquiétante de cette nuit confuse était descendue en lui et lui écrasait la poitrine.

Il se leva brusquement. Que pouvait-il donc lui arriver ? Etre grondé et battu ? Il n'avait plus peur de rien, depuis qu'il avait connu ces ténèbres et ressenti la peur de la solitude. Il se mit à marcher devant lui, sans même s'en rendre compte, et soudain il se retrouva devant la villa de sa grand'mère, la main de nouveau posée sur la froide poignée. Les fenêtres éclairées brillaient à présent à travers la verdure ; il voyait en pensée, derrière chaque vitre lumineuse, le salon où étaient réunis les habitants de la maison. Déjà cette proximité lui faisait du bien ; de se savoir tout près des gens dont il était aimé, il éprouvait un sentiment apaisant et, s'il hésitait encore, ce n'était que pour en jouir plus intimement.

Soudain, à côté de lui, une voix cria sur un ton de vive frayeur :

— Edgar! Il est ici!

C'était la servante qui, venant de l'apercevoir, se précipitait sur lui et l'empoignait par la main. La porte s'ouvrit brusquement, un chien s'élança vers lui, en aboyant ; des lumières sortirent de la maison; il entendit des voix qui appelaient, moitié joyeuses, moitié épouvantées. tout un gai tumulte de cris et de pas qui s'approchaient, des silhouettes qu'il reconnaissait petit à petit. D'abord, sa grand'mère, les bras tendus, et, derrière elle (il croyait rêver) sa mère. Les yeux mouillés de larmes, tremblant et intimidé, il était là au milieu de cette chaude explosion de sentiments, ne sachant que faire ni que dire et ignorant si ce qu'il éprouvait était de la crainte ou du bonheur.

Il y avait longtemps qu'on l'attendait. La mère, malgré sa colère, effrayée par la façon dont l'enfant surexcité s'était enfui, l'avait fait chercher partout. Au Semmering on était plein d'inquiétudes et on supposait le pire, quand quelqu'un vint annoncer qu'on l'avait vu au guichet de la gare vers trois heures de l'après-midi. Alors on sut vite qu'Edgar avait pris un billet pour Baden, et, sans hésiter, sa mère était aussitôt partie à sa poursuite. Elle avait au préalable envoyé des dépêches donnant l'alarme à Baden ainsi qu'à Vienne, au père de l'enfant, et depuis deux heures tout était en mouvement pour avoir des nouvelles du fugitif.

Maintenant ils le tenaient prisonnier, mais sans violence. Avec un sentiment de triomphe contenu, il fut conduit au salon, mais, par un phénomène singulier, il ne sentait pas les durs reproches qu'on lui faisait, parce qu'il lisait, malgré tout, dans les yeux de ses parents la joie et l'amour, et même cette attitude, ce mécontentement affecté ne dura qu'un instant. Bientôt sa grand'mère l'embrassa de nouveau en pleurant ; personne ne parla plus de sa faute et on l'entoura de soins maternels. La servante lui ôta son costume et lui en apporta un plus chaud, puis sa grand'mère lui demanda s'il désirait quelque chose, s'il avait faim ; ils l'assiégeaient de questions et de tendres prévenances, mais finalement, comme ils virent qu'il était effarouché, ils cessèrent de le questionner. Ce fut pour lui une volupté de sentir encore qu'il n'était qu'un enfant, alors que précédemment il avait honte de ce sentiment. Et il n'éprouvait plus que du remords en songeant que, ces derniers jours, il avait été assez orgueilleux pour vouloir se passer de tout cela et l'échanger contre le plaisir trompeur d'être indépendant.

Le téléphone retentit ; il entendit la voix de sa mère, du moins quelques paroles entrecoupées : « Edgar... retrouvé... arrivé ici... dernier train. » Il s'étonna qu'elle ne l'eût pas rudoyé, qu'elle l'eût enveloppé d'un regard si étrangement calme. Son repentir ne faisait que croître ; il eût bien aimé se dérober à tous les soins dont sa grand'mère et sa tante l'entouraient, pour aller demander pardon à sa mère, lui dire en toute humilité et en secret qu'il voulait de nouveau être un enfant et obéir. Mais, lorsqu'il se leva sans bruit, sa grand'mère lui dit d'une voix légèrement effrayée :

— Où veux-tu aller ?

Alors, il resta là debout, tout honteux. Dès qu'il bougeait, ils éprouvaient déjà des inquiétudes à son sujet. Il leur avait fait peur, à tous, et maintenant, ils craignaient qu'il ne voulût leur échapper encore. S'ils savaient que personne plus que lui ne regrettait cette fugue.

La table était mise et on lui apporta un dîner hâtif. Sa grand'mère était assise près de lui, ses regards ne le quittaient pas. Elle, sa tante et la servante formaient autour de lui un cercle silencieux et il se sentait merveilleusement apaisé par cette chaude sollicitude. Seulement il était troublé en pensant que sa mère ne venait pas elle aussi. Ah! si elle avait pu savoir combien il était humble, nul doute qu'elle serait à côté de lui.

Soudain on perçut le bruit d'une voiture qui s'arrêtait devant la maison. Les autres furent tellement surpris qu'Edgar, alors, devint inquiet. Sa grand'mère sortit, un bruyant échange de voix se fit entendre dans l'obscurité : Edgar comprit que son père était là. Il remarqua qu'on l'avait laissé seul dans la chambre et ce petit moment d'isolement suffit à le troubler. Edgar connaissait la sévérité de son père. C'était le seul qu'il craignît réellement. Il tendit l'oreille : son père paraissait être en colère, il parlait fort et d'un ton irrité. De temps en temps il entendait la voix apaisante de sa grand'mère et de sa mère. Mais celle de son père restait dure, dure comme les pas qui se rapprochaient de plus en plus et qui à présent résonnaient déjà dans la pièce d'à côté, tout contre la porte, qui s'ouvrit brusquement. Le père d'Edgar était grand. L'enfant se sentit indiciblement petit devant lui, lorsqu'il le vit entrer d'un pas nerveux qui semblait trahir une grande colère :

— Qu'est-ce qui t'a pris, mon gaillard, de t'échapper ainsi et de causer une pareille frayeur à ta mère ?

Il parlait avec irritation et ses mains s'agitaient violemment. Derrière lui, la mère d'Edgar venait d'entrer doucement ; une ombre couvrait son visage. Edgar ne répondait pas. Il se rendait compte qu'il lui fallait se justifier, mais comment pourrait-il raconter qu'on l'avait trompé et battu ? Son père comprendrait-il la chose ?

— Alors, tu as perdu ta langue ? Qu'est-ce qui s'est passé ? Parle tranquillement. Il s'est produit quelque chose qui ne t'allait pas ? Il faut bien qu'il y ait eu un motif pour que tu t'échappes ainsi. Quelqu'un t'a-t-il fait du mal ?

Edgar hésita. Le souvenir de ce qui lui était arrivé faisait renaître son ressentiment. Déjà il allait accuser. Alors il aperçut (et à cette vue son cœur s'arrêta presque de battre) que sa mère faisait, derrière le dos de son père, un mouvement singulier, un mouvement que d'abord il ne comprit pas. Mais maintenant il lisait une supplication dans ses yeux, tandis que furtivement elle portait un doigt sur la bouche, pour lui faire signe de se taire.

L'enfant sentit soudain quelque chose de chaud, un bonheur sauvage et extraordinaire se répandre à travers son corps. Il comprit qu'elle lui donnait son secret à garder et que ses petites lèvres d'enfant étaient dépositaires de toute une destinée. Une fierté farouche et exultante s'empara de lui, la fierté de voir qu'elle mettait en lui sa confiance; il fut pris d'un besoin de sacrifice; il voulait exagérer sa propre faute pour montrer combien il était déjà un homme. Concentrant toutes ses forces il dit :

— Non, non... il n'y avait pas de motif, maman a été très bonne pour moi, mais je n'ai pas été sage, je me suis mal conduit et alors... alors je me suis enfui, parce que j'avais peur.

Son père le dévisagea avec stupéfaction. Il s'était attendu à tout, sauf à cet aveu; sa colère était désarmée.

— Allons, puisque tu te repens, c'est bon signe. Je ne veux plus parler de cette affaire. Je pense qu'à l'avenir tu réfléchiras à ce que tu fais, pour ne pas recommencer pareille stupidité.

Le père regardait toujours son fils. Sa voix se fit plus douce.

— Comme tu as l'air pâle! Mais il me semble que tu as encore grandi. J'espère que tu ne commettras plus de tels enfantillages; tu n'es plus un gamin, en vérité, tu as à présent l'âge de raison.

Pendant tout ce temps, Edgar avait presque sans cesse les yeux fixés du côté de sa mère. Il lui semblait que quelque chose étincelait dans son regard. Ou bien n'était-ce là que le reflet de la lumière? Non, les yeux de sa mère brillaient humides et clairs et sur sa bouche se lisait un sourire qui lui disait merci.

Il se faisait tard. On l'envoya se coucher. Contrairement aux jours précédents, il n'en éprouva aucune tristesse. Il ne lui déplaisait pas d'être seul. C'est qu'il avait à songer à tant de choses, à tant d'impressions pleines de richesse et si variées. Toute sa souffrance des derniers temps se dissipait dans le sentiment puissant qu'il avait du premier événement important qui lui arrivait dans sa vie. Il se sentait heureux, dans le mystérieux pressentiment de ce que lui réservait son avenir.

Au dehors, dans la nuit sombre, les arbres s'agitaient bruyamment au sein des ténèbres, mais il n'avait plus peur. Il avait perdu toute impatience en face de la vie, depuis qu'il savait combien elle était riche. Il lui semblait qu'aujourd'hui les choses s'étaient montrées à lui dans leur nudité — non plus enveloppées des mille mensonges de l'enfance, mais dans toute leur beauté redoutable et voluptueuse. Il n'avait jamais pensé que ses jours pussent être si remplis, si pleins de changements, de souffrances et de joies multiples; il était heureux en songeant qu'il avait encore devant lui une multitude de jours semblables, que toute une existence l'attendait pour lui dévoiler son secret. Il avait à présent une idée de la variété de l'existence. Il semblait avoir compris la nature des hommes et que ceux-ci avaient besoin les uns des autres, même quand ils paraissaient être séparés par l'inimitié ; il avait compris la douceur d'être aimé d'eux. Il se sentait incapable de penser avec haine à n'importe quoi ou à n'importe qui ; et même à l'égard du baron, son grand ennemi, il éprouvait une certaine gratitude, parce que c'était lui qui lui avait ouvert la porte de ce monde des premières expériences.

C'était pour lui une chose agréable et délicieuse de penser ainsi dans l'obscurité, l'esprit envahi par des images confuses, issues du domaine des rêves. Déjà il dormait presque, lorsqu'il lui sembla soudain que la porte s'ouvrait et que quelqu'un s'avançait doucement. Il n'en avait pas la perception bien nette et il était trop près de s'endormir pour ouvrir les yeux. Mais il sentit un visage tendre, chaud et doux se pencher au-dessus du sien et l'effleurer, et il comprit que c'était sa mère qui l'embrassait et lui caressait les cheveux. Il sentait les baisers, il sentait les larmes et il rendait avec douceur ces caresses dans lesquelles il ne voyait qu'un signe de réconciliation et de gratitude pour son silence. Ce n'est que plus tard, beaucoup d'années plus tard, qu'il reconnut dans ces larmes muettes la promesse de la femme vieillissante de n'appartenir désormais qu'à son enfant, le renoncement à l'aventure, l'adieu à tous ses désirs égoïstes. Il ne savait pas qu'elle lui était aussi reconnaissante de l'avoir sauvée d'une aventure stérile et que dans ces baisers elle lui laissait en héritage, pour sa vie future, le fardeau à la fois amer et doux de l'amour. L'enfant ne comprenait pas cela, mais il sentait tout l'enivrement de cet amour qui déjà le mettait en rapport avec le grand secret de l'univers.

Lorsque la mère retira ses mains, que ses

lèvres s'écartèrent de celles de l'enfant et que la furtive silhouette eut disparu, il resta encore quelque chose de chaud, un tendre souffle, sur la bouche d'Edgar. Et le désir l'effleura, comme une caresse, de sentir souvent sur lui le contact de lèvres aussi douces et d'être enlacé avec une pareille tendresse, mais ce pressentiment du secret qu'il désirait tant connaître était déjà obscurci par l'ombre du sommeil. Une dernière fois toutes les images des heures qui venaient de s'écouler défilèrent rapidement devant l'enfant ; une dernière fois le livre de sa jeunesse ouvrit devant lui ses pages pleines de séduction, puis il s'endormit et alors commença le rêve profond de sa vie.

CONTE CRÉPUSCULAIRE

Qu'il fait sombre tout à coup dans notre pièce ! Le vent a-t-il ramené la pluie sur la ville ? Non. L'air est lumineux et calme, comme il l'est rarement en ces jours d'été. Mais il se fait tard et nous ne nous en étions pas aperçu. Seules les lucarnes des toits d'en face brillent encore d'un faible éclat, au-dessus des crêtes le ciel se couvre déjà d'une brume dorée. Dans une heure il fera nuit. Heure merveilleuse, car rien n'est plus beau que cette couleur qui se ternit et s'assombrit peu à peu. Puis l'obscurité, montant du sol, envahira la pièce, jusqu'au moment où ses flots noirs se rejoindront sans bruit par-dessus les murs et nous emporteront dans leurs ténèbres. A pareil moment, lorsqu'on est assis l'un en face de l'autre et qu'on se regarde sans parler, le visage familier vous paraît vieilli, étranger, lointain; il semble qu'on se voie sous un jour inconnu, en dehors du temps et des ans. Mais tu désires à présent que nous parlions, parce que, dis-tu, ton cœur se serre en écoutant la pendule hacher le temps en menus morceaux et que, dans le silence, notre respiration devient bruyante comme celle d'un malade. Tu veux que je te raconte quelque chose. Volontiers. Certes, je ne te parlerai pas de moi car dans ces villes immenses notre vie est pauvre en aventures ou du moins elle nous paraît telle, parce que nous ne savons pas ce qui nous appartient en propre. Mais je vais te conter une histoire qui convient à l'heure présente, laquelle, à vrai dire, n'aime que le silence. Et je voudrais qu'elle eût un peu de cette lumière crépusculaire, chaude, douce, fluide qui s'étend comme un voile sous nos fenêtres.

J'ignore d'où je la tiens. Tout au début de l'après-midi je suis resté longtemps assis dans cette pièce; je lisais un livre, puis je l'ai laissé tomber, m'abandonnant à quelque rêverie, peut-être même à un léger sommeil. Soudain des personnages surgirent devant moi, ils glissaient le long du mur ; j'entendais leurs paroles et je pénétrais leur vie. Pourtant lorsque je voulus suivre des yeux ces ombres fugitives, j'étais déjà réveillé, et seul. Le livre était à mes pieds. Je le ramassai pour le questionner sur ces personnages : je n'y trouvai pas leur histoire. Y avait-elle figuré? Si oui, c'est donc qu'elle avait glissé des feuillets pour venir se nicher dans ma tête? Ne l'avais-je pas plutôt rêvée? A moins que je ne l'eusse lue sur un de ces nuages diaprés, venus de lointains pays, qui sont passés aujourd'hui au-dessus de notre ville et ont chassé la pluie qui nous importuna si longtemps ? Ou bien l'avais-je entendue à travers une vieille romance naïve qu'un orgue de Barbarie était venu gémir sous ma fenêtre? Ou bien encore quelqu'un me l'avait-il contée autrefois? Je n'en sais rien. Souvent des faits de ce genre s'offrent à moi, et je m'amuse à laisser se dérouler leurs péripéties sans les retenir, comme on caresse au passage des épis ou des fleurs hautes sur tige sans les cueillir. Ils apparaissent sous la forme d'une image soudaine et colorée, qui finit par s'estomper; je la laisse s'enfuir. Tu me réclames donc une histoire! je vais t'en conter une, à cette heure où le crépuscule peut nous donner envie de voir quelque chose de brillant et de multicolore s'agiter devant nos yeux qu'attriste la grisaille du soir.

Comment vais-je commencer? Il faut, je le sens, que je fasse surgir un instant de l'ombre un tableau et une silhouette, car c'est ainsi que naissent dans mon esprit ces rêves étranges. Voici : je vois un svelte adolescent qui descend les vastes degrés de l'escalier d'un château. C'est la nuit, une nuit qu'éclaire seulement la lumière blafarde de la lune ; mais je saisis comme à l'aide d'un réflecteur tous les contours de son corps souple, je distingue nettement ses traits. Il est d'une rare beauté. Ses cheveux noirs coiffés à la mode enfantine tombent droit sur un front presque trop élevé. Ses mains, qu'il tend en avant dans l'obscurité pour tâter l'air encore imprégné de la chaleur du jour, sont fines et aristocratiques. Sa marche est hésitante. Il descend en rêvant dans le vaste jardin plein du frémissement des grands arbres et à travers lequel brille toute blanche une seule et large allée.

J'ignore la date de ces événements, si c'est hier ou il y a cinquante ans qu'ils se sont passés; je ne sais pas non plus en quel endroit ils se déroulent, mais je crois que ce doit être en Angleterre ou en Ecosse. Ce sont en effet les seuls pays où j'aie vu de ces hauts et larges châteaux massifs en pierre de taille qui, de loin, ont l'air arrogant et menaçant de citadelles et avec lesquels l'œil a besoin de se familiariser avant de les voir se pencher avec bienveillance au-dessus de leurs jardins riants et fleuris. Mais oui, j'en suis sûr, à présent, c'est en Ecosse. Il n'y a que là où les nuits d'été sont si claires, que le ciel a l'éclat laiteux d'une opale et que la campagne n'est jamais sombre, que tout semble doucement éclairé de l'intérieur et que seules les ombres, pareilles à de gigantesques oiseaux noirs, s'abattent sur ces nappes de lumière. C'est bien en Ecosse, j'en ai maintenant la certitude absolue, et si je voulais m'en donner la peine je trouverais le nom de ce château comtal et même celui du jeune garçon ; car l'obscure écorce qui entourait mon rêve se détache rapidement et je perçois les choses avec autant de netteté que si j'en avais été témoin. L'été, ce jeune garçon est l'hôte de sa sœur et de son beau-frère, et, suivant l'aimable coutume des grandes familles anglaises, il n'est pas le seul invité. Le dîner rassemble autour de la table toute une troupe de chasseurs avec leurs femmes ainsi que quelques jeunes filles ; de grands et beaux jeunes gens dont les rires gais et jamais bruyants cependant réveillent l'écho des vieux murs. Pendant le jour les chevaux galopent de tous les côtés, les chiens sont couplés; en face, sur la rivière, deux ou trois canots scintillent : une activité insouciante donne à la journée un rythme d'une rapidité agréable.

C'est le soir à présent ; les convives ont quitté la table. Les hommes sont au salon, fument et jouent. Jusqu'à minuit les fenêtres projetteront sur le parc des cônes de lumière blanche, légèrement vacillante ; parfois un rire franc et joyeux s'en échappe. Les dames, pour la plupart, sont déjà montées dans leur chambre, à l'exception de deux ou trois qui, peut-être, bavardent encore dans le hall. Aussi le jeune garçon se trouve-t-il seul. Il n'a pas encore le droit d'aller avec les hommes, ou pendant quelques instants seulement; et dans la compagnie des femmes il éprouve de la gêne car, souvent, lorsqu'il ouvre une porte elles baissent soudain la voix et il sent qu'elles parlent de choses qu'il ne doit pas entendre. D'ailleurs il n'aime pas leur société, car elles le questionnent comme un enfant et écoutent ses réponses d'une oreille distraite ; elles se servent de lui pour se faire rendre mille menus services et le remercient ensuite comme on le fait avec un gentil garçon. Il a donc voulu aller se coucher et déjà il est en haut de l'escalier tournant. Mais sa chambre est trop chaude, l'atmosphère y est d'une lourdeur accablante. On a oublié de fermer les fenêtres pendant la journée et le soleil s'en est donné à cœur joie : il a chauffé la table et le lit, s'est appesanti sur les murs et son souffle brûlant s'exhale encore avec violence des rideaux et des angles de la pièce. Puis il est trop tôt pour dormir, et au dehors la nuit calme, immobile, sereine, à la blancheur laiteuse d'un cierge, est si délicieuse. L'adolescent a donc redescendu le grand escalier du château et s'est dirigé vers le jardin, masse sombre au-dessus de laquelle le ciel répand, telle une gloire, sa clarté diaphane et où l'attire le lourd parfum qui sort de mille fleurs invisibles. Il est en proie à d'étranges sensations. Il ne saurait expliquer, dans la confusion sentimentale de ses quinze ans, ce qui le trouble, mais ses lèvres frémissent comme s'il allait parler ; il semble qu'il y ait entre cette apaisante nuit d'été et lui une intimité mystérieuse qui appelle de sa part un mot ou un geste d'amitié.

Il quitte lentement l'allée centrale, large et dégagée, et s'engage dans une des étroites contre-allées où les arbres semblent entremêler leurs cimes auréolées d'argent, tandis qu'au-dessous les ténèbres s'étendent lourdement. Tout est profondément calme. Envahi par une douce et vague mélancolie, le promeneur ne perçoit que ce bruit indéfinissable du silence dans un jardin, ce bourdonnement vibrant qui vous fait croire au bruissement d'une pluie fine tombant sur le gazon ou au susurrement aigu des brins d'herbe glissant l'un contre l'autre. Parfois il frôle un arbre ou s'arrête pour écouter ce bruit fugitif. Son béret lui serre le front; il l'enlève pour sentir sur ses tempes nues, où bat son sang, la douce caresse de la brise.

Tout à coup, au moment où il s'enfonce plus avant dans l'obscurité, un bruit étrange se produit. Le gravier crisse légèrement derrière lui. Effrayé, il se retourne : tel un feu follet une grande forme blanche s'avance dans sa direction. Déjà elle est sur lui. Il sent avec effroi qu'une femme l'enlace dans une fougueuse étreinte mais dénuée cependant de toute violence. Un corps doux et tiède se presse ardemment contre le sien. Une main caresse ses cheveux d'un geste rapide et lui rejette la tête en arrière. Il défaille en sentant sur sa bouche un fruit entr'ouvert qu'il ne connaît pas, des lèvres frémissantes qui boivent les siennes. Ce visage est si collé au sien qu'il n'en peut discerner les traits. Il ne cherche pas à les voir d'ailleurs car un douloureux frisson le secoue qui l'oblige à fermer les yeux et à s'abandonner sans résistance, comme une victime, à ces lèvres brûlantes. Hésitant, incertain de ce qu'il doit faire, il enserre dans ses bras le corps inconnu; soudain il le presse avec ivresse contre lui. Ses mains glissent avidement le long des formes délicates, s'arrêtent et se retirent en tremblant, pour recommencer plus fiévreuses et plus audacieuses. Toujours plus collé, pâmé déjà, le délicieux fardeau repose maintenant de tout son poids sur sa poitrine qui s'y prête. Il se sent pour ainsi dire englouti, emporté, dans cette étreinte haletante, et déjà ses genoux fléchissent. Il ne pense à rien, il ne se demande pas quel est le nom de cette femme ni comment elle est venue là; il se contente de fermer les yeux qui sont comme éblouis et de boire jusqu'à l'ivresse la volupté sur ces lèvres inconnues, humides et parfumées — sans volonté, inconscient, sombrant dans un trouble sans bornes. Il lui semble que ce qu'il touche est de feu et lance des étincelles. Depuis combien de temps cela dure il l'ignore. il ne sait s'il y a des heures ou des secondes qu'il subit cette douce captivité, qu'il est en proie à ce délicieux vertige.

Brusquement, l'ardente chaîne se rompt, Presque avec colère, l'étreinte qui enserrait sa poitrine soudain se dénoue. L'inconnue se redresse et déjà une raie de lumière blanche glisse avec rapidité le long des arbres. Elle a disparu avant qu'il ait pu faire un geste pour la retenir.

Qui était-ce? Oppressé, étourdi, il se relève en s'appuyant à un arbre. Le calme renaît peu à peu dans son cerveau enfiévré : il a l'impression d'avoir accompli tout à coup un bond dans la vie de plusieurs années. Tous ses rêves confus concernant les femmes et l'amour seraient-ils devenus subitement une réalité ? Ou bien n'était-ce qu'un songe ? Il se palpe, se tire les cheveux. Ses tempes que martelle la fièvre sont humides et fraîches de la rosée de l'herbe dans laquelle ils ont roulé. Tout repasse devant ses yeux avec la rapidité de l'éclair. Il sent de nouveau les lèvres brûlantes de l'inconnue, respire l'étrange et capiteux parfum de volupté qui se dégageait de ses vêtements, cherche à se rappeler chacune de ses paroles. Mais aucune ne lui revient à l'esprit.

Et voilà tout à coup qu'il se souvient avec angoisse qu'elle ne lui a rien dit, qu'elle n'a même pas prononcé son nom, qu'il ne connaît d'elle que les soupirs qui débordaient de son cœur, ces sanglots étouffés, convulsifs qu'elle laissait échapper dans le plaisir. Il se souvient du parfum de ses cheveux dénoués, de la chaude pression de ses seins, de l'émail uni de sa peau; il se rappelle qu'il a respiré son haleine, que son corps, que son cœur palpitant lui a appartenu tout entier. Et pourtant il ignore quelle était cette femme qui est venue l'assaillir dans la nuit avec son amour. Il en est réduit à balbutier un nom pour désigner son émotion, son bonheur.

Ces minutes inouïes qu'il vient de vivre lui paraissent à présent banales et insignifiantes à côté de l'éblouissant mystère qui l'attire comme deux yeux fascinateurs fixés sur lui dans la nuit. Qui était-ce? Il envisage rapidement toutes les possibilités, fait défiler devant ses yeux l'image des différentes femmes qui habitent le château. Il évoque les rares instants qu'il a passés près d'elles, revit en pensée les courtes conversations qu'il a eues avec celle-ci, avec celle-là, revoit chaque sourire des cinq ou six femmes qui seules pourraient être mêlées à cette énigme. La jeune comtesse E..., peut-être, qui rudoie son mari vieillissant, ou bien la jeune femme de son oncle qui a des yeux d'une douceur étrange et cependant si changeants? Ou bien serait-ce — il frémit à cette idée — une des trois sœurs, ses trois cousines, si pareilles avec leurs façons raides, hautaines et orgueilleuses? Non... Ce sont toutes des femmes froides et réservées. Souvent, au cours de ces derniers temps, il s'était pris pour un deshérité, pour un malade depuis que de secrètes ardeurs l'agitaient et venaient enflammer ses rêves. Combien il les avait enviées, toutes ces femmes qui étaient ou paraissaient si calmes, si pondérées, si exemptes de tout désir ! Longtemps il avait redouté sa passion naissante comme une infirmité. Et voilà qu'à présent!... Mais laquelle d'entre elles est capable d'une pareille dissimulation ?

Petit à petit cette question obsédante dissipe l'ivresse de ses sens. Il est tard, les lumières du salon sont éteintes. Lui seul est encore debout... et Elle aussi, peut-être, l'Inconnue. La fatigue le gagne peu à peu. A quoi bon réfléchir davantage ? Un regard, le jaillissement d'une flamme entre deux paupières, une furtive pression de la main lui révélera tout demain. Il monte l'escalier, songeur, comme il l'avait descendu; mais ses rêves maintenant sont si différents! Son sang est encore légèrement agité; sa chambre lui semble plus fraîche et plus claire.

Quand il se réveille le lendemain matin, les chevaux piaffent déjà dans la cour avec impatience. Il entend prononcer son nom au milieu des rires. Il se lève d'un bond — l'heure du déjeuner est passée —, s'habille avec une hâte fébrile et se précipite en bas où on lui fait un joyeux accueil. « Grand paresseux ! Avez-vous fait d'agréables rêves? » lui lance, moqueuse, la comtesse E..., en même temps qu'un rire brille dans ses yeux limpides. Il scrute son visage d'un œil curieux : non, non, ce ne peut être elle, son rire est trop insouciant. Et puis son corps est trop fluet. Il promène hâtivement un regard interrogateur de visage en visage sans découvrir sur aucun l'apparence d'un sourire.

On fait un tour à cheval dans la campagne. Il écoute avec attention la voix de chacune des femmes, observe les lignes de leur corps, les ondulations que le cheval leur imprime. Il remarque leur façon de se courber ou de lever les bras. A midi, pendant le lunch, il se penche vers elles en leur parlant pour sentir le parfum de leurs lèvres ou la tiédeur de leurs cheveux : mais il ne trouve rien, pas le moindre indice, la moindre piste sur laquelle lancer son imagination enflammée. La journée lui semble longue. Dès qu'il veut lire, les lignes sautent par-dessus la marge et le conduisent brusquement dans le parc où il revit l'étrange nuit, se sent de nouveau enlacé par les bras de l'Inconnue. Alors ses mains tremblantes déposent le livre, il veut se rendre vers l'étang. Et tout à coup il se retrouve avec effroi dans l'allée de gravier. Le soir, au dîner, il a la fièvre, ses mains sont nerveuses, comme affolées, elles ne cessent de palper tout ce qui se trouve à leur portée, il tient les yeux timidement baissés. Il ne respire que lorsque les convives repoussent leur chaise; il vole hors de la pièce, se précipite dans le parc, monte et descend la blanche allée qui semble une brume laiteuse étalée sous ses pas. Vingt fois, cent fois peut-être il la remonte et la redescend. Enfin il voit briller les lumières du salon; enfin aussi deux ou trois fenêtres du premier étage s'éclairent. Les dames se sont retirées dans leurs chambres. Si elle doit venir il n'a plus que quelques minutes à attendre; mais ces minutes sont chargées d'électricité. Il continue ses allées et venues, marchant avec agitation, comme tiré par d'invisibles fils.

Et voici que tout à coup la forme blanche glisse en bas de l'escalier, trop vite, beaucoup trop vite pour qu'il puisse la reconnaître. On dirait un rayon de lune ou un voile égaré, flottant entre les arbres et qu'un vent rapide chasse vers lui. La voilà dans ses bras, qui se referment comme des serres avides autour de ce corps ardent et tout palpitant. De nouveau, comme hier, c'est un instant unique que celui où cette vague brûlante vient se briser contre sa poitrine; il pense défaillir sous le choc délicieux et n'a plus qu'un seul désir : se laisser emporter, sombrer dans un abîme de plaisir. Mais soudain son ivresse se calme, il refrène son ardeur. Non il ne s'abandonnera pas à cette volupté merveilleuse, il ne cédera pas à ces lèvres gourmandes avant de savoir le nom de la femme qui se presse si étroitement contre lui qu'il lui semble qu'un cœur étranger bat dans sa propre poitrine! Il recule la tête en arrière sous ses baisers pour voir son visage : mais des ombres descendent sur eux et se confondent dans la lumière incertaine avec la sombre chevelure de l'inconnue. Le feuillage des arbres est trop épais et la clarté de la lune, voilée par les nuages, est trop blafarde. Il n'aperçoit que ses yeux qui luisent comme deux escarboucles enchâssées dans le marbre blanc.

Alors il cherche à lui dire un mot, un simple mot, à entendre le son de sa voix : « Qui es-tu. dis-moi, qui es-tu ? » Mais cette bouche humide et suave est muette et répond par des baisers. Il essaie de lui arracher une exclamation, un cri de douleur : il lui serre le bras, lui enfonce les ongles dans la chair. Il ne perçoit que le halètement de sa gorge oppressée, d'où s'échappe parfois comme une légère plainte, sous l'effet du plaisir ou de la souffrance, il ne saurait le dire. Il perd la raison en se voyant à la fois sans forces devant la volonté de cette femme qui le prend dans l'obscurité sans se révéler à lui, et à la pensée qu'il est le maître absolu de son corps frémissant de désir mais ne peut savoir son nom. La colère monte en lui et il résiste à l'étreinte de la femme; mais elle, sentant son bras mollir et se rendant compte de son agitation l'apaise et l'attire à elle en caressant ses cheveux d'une main fébrile. A l'instant où ses doigts le frôlent un objet métalique, une breloque, une médaille de bracelet tinte contre son front. Brusquement il lui vient une idée. Comme s'il était pris d'un accès de passion frénétique, il saisit la main, la presse contre lui en appuyant avec force sur son bras demi-nu la médaille qui s'incruste dans sa peau. A présent qu'il possède une indication certaine, la brûlure de l'empreinte l'en assure, il s'abandonne tout entier à sa passion un instant contenue. Il se presse étroitement contre la femme, boit la volupté de ses lèvres, se jette à corps perdu dans la lasciveté mystérieuse et ardente de ce muet enlacement.

Puis lorsque, comme la veille, elle se lève d'un bond et s'enfuit, il ne cherche pas à la retenir. Il est follement impatient de prendre connaissance de la marque. Il gagne sa chambre avec rapidité, avive la flamme languissante de la lampe et se penche avec curiosité sur l'empreinte que porte son avant-bras.

Elle n'est plus très nette : le pourtour s'est effacé en partie, mais un des coins de l'objet a laissé sur sa peau une trace rouge d'une rigoureuse précision. Il s'agit d'une médaille aux angles taillés en biseaux, octogonale, de la dimension d'un penny environ, mais d'un relief plus accentué, car voici, encore profondément gravé, un creux correspondant à une saillie. Pendant qu'il l'examine dans ses moindres détails, l'empreinte le brûle comme du feu; elle lui fait tout à coup mal comme une blessure et ce n'est qu'après avoir plongé son poignet dans l'eau froide que la douleur disparaît. A présent il se sent tout à fait sûr de lui. La joie du triomphe brille dans ses yeux. Demain il saura tout.

Le lendemain matin au breakfast il est un des premiers à table. Seules sont présentes parmi les dames sa sœur, la comtesse E..., et une demoiselle entre deux âges. Elles sont de bonne humeur; il ne prête pas la moindre attention à leurs propos. Il est d'autant plus facile de les observer. Il jette un rapide coup d'œil sur le frêle poignet de la comtesse : elle ne porte pas de bracelet. Ce n'est qu'à partir de ce moment qu'il peut causer tranquillement avec elle, mais ses regards n'en sont pas moins sans cesse dirigés vers la porte. Voilà ses cousines qui entrent toutes trois ensemble. L'agitation le reprend. Il aperçoit leur bracelet, à demi dissimulé sous leurs manches ; mais elles s'asseyent trop vite. Justement elles prennent place en face de lui : Kitty, la châtaine, Margot, la blonde et Elisabeth dont les cheveux sont si clairs qu'ils brillent dans l'obscurité comme de l'argent et qu'ils semblent au soleil des flots d'or liquide. Elles sont comme de coutume, calmes, froides, distantes, figées dans cette dignité qu'il hait tant en elles parce qu'elles ne sont guère plus âgées que lui et qu'elles étaient, il y a quelques années encore, ses camarades de jeu. La jeune femme de son oncle n'est pas descendue. Le cœur du jeune garçon bat de plus en plus vite, il sent que le dénouement approche et soudain il se prend presque à aimer la torturante énigme. Dévoré cependant par la curiosité, il jette un coup d'œil autour de la table, sur le bord de laquelle les mains des jeunes filles reposent sans bouger ou se déplacent lentement, pareilles, dans l'éclatante blancheur de la nappe, à des vaisseaux dans une baie étincelante de lumière. Il ne regarde que ces mains, et il lui semble tout à coup que ce sont des êtres indépendants, des personnages qui se meuvent sur une scène, ayant chacun une âme, une vie propres. Mais pourquoi ses tempes battent-elles avec une telle violence ? Il remarque avec effroi que ses cousines portent toutes un bracelet. La certitude que ce pourrait être une de ces trois filles hautaines, d'apparence irréprochable, qu'il a toujours connues, même enfants, orgueilleusement repliées sur elles-mêmes, le bouleverse. Laquelle serait-ce? Kitty, celle qu'il connaît le moins, parce qu'elle est l'aînée, la revêche

Margot, ou bien la petite Elisabeth? Il n'ose pas souhaiter que ce soit l'une d'elles. Tout au fond de lui-même, il préférerait que ce ne fût aucune des trois ou ne pas le savoir. Mais il est emporté par la curiosité.

— Verse-moi encore une tasse de thé, s'il te plaît, Kitty ?

L'émotion étrangle sa voix. Il tend sa tasse; Kitty est obligée de lever le bras, de l'allonger par-dessus la table pour l'atteindre. Il aperçoit sous son bracelet le tremblotement d'une médaille, sa main se crispe une seconde... mais non, c'est une pierre verte à sertissure ronde qui tinte légèrement contre la porcelaine. Reconnaissant il enveloppe la chevelure brune de Kitty d'un regard caressant comme un baiser.

Il respire un moment.

— Voudrais-tu avoir l'obligeance de me donner un morceau de sucre, Margot?

De l'autre côté une main effilée s'éveille, s'allonge, entoure un sucrier d'argent, le rapproche. A ce moment — la main du jeune garçon tremble légèrement — il aperçoit à l'endroit où le poignet de la jeune fille disparaît sous sa manche, se balançant à un bracelet finement ciselé, une vieille médaille en or, octogonale, grande comme un penny, un bijou de famille apparemment. C'est bien là la médaille aux angles vifs, qui, hier, a imprimé dans sa chair cette cuisante morsure. Sa main manque d'assurance, deux fois la pince plonge à côté du sucrier, puis il laisse tomber un morceau dans son thé, qu'il oublie de boire.

Margot! Ce nom lui brûle les lèvres, la surprise manque de lui arracher un cri; mais il serre les dents. Maintenant il l'écoute parler (sa voix lui semble aussi étrange que s'il avait devant lui quelqu'un discourant du haut d'une chaire); elle est froide, posée, légèrement railleuse et elle respire si calmement que l'effrayante dissimulation de sa vie fait presque frémir d'horreur le jeune homme. Est-ce vraiment la même femme dont il a hier recueilli les soupirs, baisé les lèvres humides, qui s'est jetée la nuit sur lui avec tant de frénésie? Il ne cesse de regarder sa bouche, qui dit son orgueil et son affectation mais ne trahit nullement l'ardeur de ses sens.

Il examine avec attention son visage, comme s'il le voyait pour la première fois. Et, frémissant de plaisir et tout près de pleurer, il trouve avec joie que cet orgueil la rend belle, que le mystère qui l'enveloppe la fait séduisante. Le regard de l'adolescent suit avec volupté la ligne arrondie de ses sourcils qui se relève brusquement pour former un angle aigu, plonge dans la froide cornaline de ses yeux gris-vert, caresse la peau transparente de ses joues; il contourne ensuite l'arc tendu de ses lèvres qu'il voit à présent plus voluptueux, erre autour de ses cheveux clairs; puis il s'incline rapidement, embrassant avec délices sa personne tout entière. Jamais il ne l'avait connue jusqu'à cette minute. Lorsqu'il se lève de table ses genoux se mettent à trembler. La vue de Margot l'enivre comme un vin capiteux.

En bas on l'appelle. Les chevaux sont prêts pour la promenade matinale; ils piaffent et mordillent impatiemment leurs bridons. L'un après l'autre les cavaliers sautent en selle, et la cavalcade part en désordre dans la grande allée du jardin. On va d'abord au petit trot dont la traînante monotonie s'accorde bien peu avec les pulsations de son cœur. Mais la porte franchie tous lâchent la bride aux chevaux, quittent la route et se jettent dans les prés recouverts d'une légère brume matinale. La rosée a dû être abondante car des diamants scintillent sous ce voile et l'air est d'une étonnante fraîcheur, comme à proximité d'une cataracte. Bientôt la troupe se désagrège, se rompt en petits groupes aux couleurs vives ; quelques cavaliers sont déjà sous bois, d'autres ont disparu entre les collines.

Margot est parmi ceux qui sont en tête. Elle aime cet élan sauvage, la caresse passionnée du vent qui tire ses cheveux, l'indéfinissable sensation que lui procure un galop impétueux. Le jeune homme se lance à sa poursuite. La violence de l'exercice redresse le corps altier de la jeune fille, lui imprime un gracieux balancement; il aperçoit parfois son visage, empreint d'une légère rougeur, l'éclat de ses yeux et maintenant qu'elle dépense ses forces avec tant de fougue il la retrouve. Son amour subit, son désir s'exaspère. Une furieuse envie le prend de la saisir brusquement dans ses bras, de l'arracher de son cheval, de baiser ses lèvres et de sentir son cœur frémissant palpiter contre sa poitrine. Il pique des deux et son cheval bondit en avant en hennissant. Le voici à côté d'elle, son genou frôle le sien, leurs étriers tintent doucement l'un contre l'autre. Il faut parler à présent, il le faut.

— Margot, balbutie-t-il.

Elle tourne la tête, haussant ses fins sourcils.

— Qu'y a-t-il, Bob? Elle demande cela très froidement. Et son regard est froid et luisant comme l'acier. Un frisson court dans le dos du jeune homme. Que voulait-il dire? Il ne le sait plus. Il bredouille quelques mots où il est question de faire demi-tour.

— Es-tu fatigué? fait-elle sur un ton qui lui paraît légèrement moqueur.

— Non, mais les autres sont si loin derrière nous, articule-t-il avec effort.

Une minute de plus et, il le sent, il va faire quelque chose d'insensé, lui tendre soudain les bras, se mettre à pleurer ou bien la frapper avec sa cravache qui tremble dans sa main, comme électrisée. Il retient brusquement son cheval qui se cabre, cependant qu'elle continue sa course, raide, hautaine, inaccessible.

Les autres le rattrapent bientôt. Il entend autour de lui le bourdonnement d'une conversation joyeuse; mais les paroles et les rires qui résonnent à son oreille lui semblent aussi vides de sens que le claquement des sabots ferrés. L'idée qu'il n'a pas eu le courage de lui parler de son amour et de lui arracher un aveu le tourmente et son désir de la dompter devient de plus en plus violent; il lui semble qu'un voile rouge s'interpose entre le paysage et lui. Pourquoi ne s'est-il pas moqué d'elle, comme elle s'est moquée de lui avec son air dédaigneux ? Il pousse inconsciemment son cheval et ce n'est que dans une furieuse galopade qu'il retrouve son calme. Mais les autres l'appellent pour rentrer. Le soleil a dépassé la colline et brille haut dans le ciel. Des bouffées d'un suave parfum arrivent des champs; les couleurs sont plus vives et brûlent les yeux comme de l'or en fusion. L'air est devenu chaud et lourd. Les chevaux, trempés de sueur, trottent avec moins d'entrain, fument et soufflent. Le peloton se reforme lentement. La gaieté manque de vigueur, les conversations sont plus rares.

Margot elle aussi a reparu. Sa monture est couverte d'écume, de légers flocons blancs souillent ses vêtements, et son chignon, que les épingles ne retiennent plus que faiblement, menace de s'écrouler. La vue de ses tresses blondes fascine le jeune homme et la pensée qu'elles pourraient tout à coup se dénouer et flotter en nattes folles sur ses épaules l'affole. Déjà on voit briller au fond de l'avenue la porte voûtée du jardin et, derrière elle, la vaste allée qui mène au château.

Il devance discrètement ses compagnons, arrive le premier, met pied à terre, tend la bride de son cheval à un valet de pied et attend. Margot est parmi les derniers arrivants. Elle vient au petit trot, le corps affaissé en arrière, comme épuisée. C'est ainsi qu'elle devait être hier, avant-hier après le plaisir. Cette pensée l'enflamme. Il se précipite au-devant elle, l'aide à descendre. Tout en lui tenant l'étrier, il étreint fébrilement sa cheville.

— Margot ! murmure-t-il doucement dans un soupir.

Elle ne lui répond même pas du regard et prend négligemment la main qu'on lui tend pour sauter à terre.

— Comme tu es belle, Margot! balbutie-t-il encore.

Elle le regarde durement en fronçant les sourcils avec hauteur.

— Ma parole, Bob, tu es fou ! Que me chantes-tu là ?

Mais, exaspéré par tant de dissimulation, Bob, que la passion aveugle, presse avec force contre lui la main de la jeune fille qu'il tient toujours dans la sienne comme s'il voulait l'enfoncer dans sa poitrine. Alors Margot, rouge de colère, lui donne une poussée qui le fait chanceler et passe rapidement devant lui. La scène a été si brève, si soudaine, que personne n'a rien remarqué et que l'adolescent peut croire qu'il vient d'être le jouet d'un cauchemar.

Il est si pâle, si bouleversé le reste de la journée que la blonde comtesse lui caresse les cheveux en passant et lui demande ce qu'il a. Il est de si mauvaise humeur qu'il repousse d'un coup de pied son chien qui saute après lui en aboyant de joie. Au jeu, il se montre si maladroit que les jeunes filles se moquent de lui. La pensée qu'elle pourrait ne pas venir ce soir le torture, le rend hargneux, méchant. On se réunit dans le jardin pour prendre le thé : Margot est assise en face de lui, mais elle ne le regarde pas. Attirés comme par un aimant, les yeux de Bob ne quittent pas ceux de la jeune fille qui sont muets, froids et durs comme deux morceaux de granit. Il enrage de voir qu'elle se joue ainsi de lui. Et comme elle se détourne brusquement, il crispe les poings : il la tuerait froidement.

— Qu'as-tu donc, Bob, tu es tout pâle ? dit soudain une voix près de lui. C'est la petite Elisabeth, la sœur de Margot, qui a parlé. Une flamme chaude et douce brille dans ses yeux, mais il ne la remarque pas. Il se croit surpris pour ainsi dire et s'écrie avec colère :

— Epargne-moi ta stupide sollicitude !

Déjà il se repent. Car Elisabeth blêmit, tourne la tête et lui dit, avec des larmes dans la voix :

— Tu es vraiment bizarre !

Tout le monde le regarde avec mécontentement et il s'aperçoit de son incorrection. Mais avant qu'il ait eu le temps de s'excuser, une voix dure, tranchante comme la lame d'un couteau, la voix de Margot, s'élève de l'autre côté de la table :

— Je trouve Bob très mal élevé pour son âge. On a tort de le traiter en gentleman ou même en jeune homme !

C'est Margot qui a dit cela, Margot, qui, la nuit dernière, lui a donné ses lèvres et son corps. Il sent tout tourner autour lui, un nuage passe devant ses yeux. Une fureur le saisit :

— Tu dois le savoir mieux que personne, toi ! dit-il en pesant malignement sur les mots.

Il se lève si brusquement que son fauteuil se renverse derrière lui, mais il ne se retourne pas.

Et pourtant si insensé que cela lui paraisse il se retrouve le soir en bas dans le jardin, priant Dieu qu'elle revienne. Peut-être que tout cela n'était que feinte et orgueil de sa part... Non, il ne la tourmentera plus, pourvu qu'elle vienne, pourvu qu'il puisse encore sentir sur sa bouche l'ardent désir de ces lèvres douces et humides qui coupent court à toutes les questions. Les heures semblent être endormies ; la nuit a l'air d'un animal paresseusement couché devant le château : le temps passe avec une lenteur inouïe. Il croit entendre des voix moqueuses chuchoter autour de lui dans le léger bruissement de l'herbe ; ces branches et ces ramures qui s'agitent doucement et jouent avec leur ombre dans le faible scintillement de l'éclairage lui paraissent autant de mains qui lui font des signes ironiques. Tous les bruits sont confus et étranges, plus agaçants que le silence lui-même. Parfois un chien aboie au loin dans la campagne ; parfois, une étoile filante raye le ciel et disparaît quelque part derrière le château. Il semble que la nuit s'éclaircit, que l'ombre des arbres s'épaissit au-dessus du chemin et que les sons légers qui l'entourent deviennent de plus en plus indistincts. Puis des nuages vagabonds couvrent de nouveau le ciel d'une obscurité opaque et pleine de tristesse. La solitude pèse douloureusement sur le cœur tourmenté du jeune garçon.

Il va et vient, de plus en plus vite, de plus en plus agité. Quelquefois son poing s'abat avec colère sur un arbre ou bien il en arrache un morceau d'écorce qu'il broie entre ses doigts, avec tant de fureur qu'ils en saignent. Non elle ne viendra pas, il le savait bien. Malgré tout, il ne veut pas le croire : car s'il en est ainsi elle ne viendra jamais plus. C'est l'heure la plus torturante de sa vie. Sa passion juvénile est si grande qu'il se jette avec violence sur la mousse humide, labourant le sol avec ses ongles, cependant que des larmes amères inondent ses joues, qu'il sanglote comme jamais il ne l'a fait et comme jamais plus il ne le fera.

Tout à coup un léger craquement dans le sous-bois l'arrache à son désespoir. Il se lève d'un bond, tend les mains en avant, au hasard et — délicieux projectile qui vient heurter soudain sa poitrine — il reçoit dans ses bras ce corps dont il rêvait si ardemment. Un sanglot jaillit de sa gorge, tout son être est traversé par un spasme d'une violence inouïe et il serre si despotiquement le corps élancé et ferme qui s'offre à lui qu'une plainte s'échappe des lèvres étrangement muettes de la femme. En l'entendant gémir sous la brutalité de son étreinte, il se rend compte qu'il est son maître et non pas comme la veille, comme l'avant-veille le jouet de son caprice. L'envie le prend de la torturer pour le long tourment qu'elle lui a causé, de la châtier de son orgueil, des paroles méprisantes qu'elle lui a jetées ce soir devant tout le monde ; de la punir de sa duplicité. La haine est si étroitement mêlée à son ardent amour que cet enlacement ressemble plus à une lutte qu'à de la tendresse. Il serre avec tant de force les poignets délicats de sa partenaire que le corps haletant de celle-ci se tord dans un frémissement ; il l'attire ensuite contre lui avec tant de violence qu'elle ne peut plus bouger et ne cesse de gémir sourdement à la fois sous l'effet du plaisir et de la douleur. Mais il ne peut arriver à lui arracher un mot. Tandis qu'il colle avidement ses lèvres aux siennes pour étouffer cette plainte, il sent sur sa bouche quelque chose de chaud et d'humide. Elle s'est mordu les lèvres et du sang coule. Et il la martyrise ainsi jusqu'à ce que ses propres forces l'abandonnent tout à coup et monte en lui la vague brûlante de la volupté ; ils halètent tous deux à présent, poitrine contre poitrine. Des flammes traversent la nuit, il croit voir des étoiles scintiller devant ses yeux ; tout se brouille, ses pensées tourbillonnent avec frénésie, tout n'a plus qu'un seul nom : Margot. Dans le débordement de sa passion, il jaillit enfin du plus profond de son âme, ce cri de joie et de désespoir, de désir, de haine, de colère et d'amour, ce cri qui contient trois journées de souffrance : Margot, Margot ! Et pour lui la musique de l'univers chante dans ces deux syllabes.

Le nom pénètre dans le cœur de la jeune fille comme un coup de poignard. L'ardeur de son étreinte se glace subitement, elle a un sursaut violent et bref, un sanglot convulsif monte de sa gorge ; déjà ses gestes ont retrouvé leur fougue, mais c'est afin de se soustraire à un contact maintenant abhorré. Surpris il essaye de la retenir, mais elle se débat. Il sent, en attirant son visage près du sien, des larmes rouler sur les joues de la femme dont le corps svelte est cabré comme un serpent. Elle le repousse dans un furieux et brusque effort et s'enfuit. La tache blanche de sa robe s'agite entre les arbres et se perd dans la nuit.

Le voilà encore tremblant et désemparé comme la première fois où ce corps ardent et passionné s'est soudain échappé de ses bras. Les étoiles dansent devant ses yeux, et son sang lui harcèle le front de picotements aigus. Que lui est-il arrivé ? En suivant l'alignement des arbres qui vont en s'espaçant, il se dirige à tâtons dans le jardin vers l'endroit où il sait que jaillit une petite fontaine. Il laisse glisser sur sa main la caresse de cette eau blanche, argentine qui lui murmure de douces choses et brille d'une étrange clarté aux rayons de la lune qui se lève lentement au cœur des nuages. Son regard est devenu plus clairvoyant, une profonde tristesse l'étreint d'une façon mystérieuse ; elle lui semble venir des grands arbres sombres, apportée par le vent tiède. Ses yeux versent des larmes brûlantes et il se rend compte avec plus de force, plus de netteté qu'aux minutes frémissantes de l'étreinte à quel point il aime Margot. Rien de ce qui existait jusqu'ici ne compte plus, ni l'ivresse, ni le frisson, ni le spasme de la possession, ni la colère devant le secret si bien gardé : l'amour emplit tout son être d'une douce mélancolie, un amour presque épuré, mais tout-puissant cependant.

Pourquoi l'avoir tourmentée ? Ne l'a-t-elle pas comblé pendant ces trois soirs ? Sa vie n'est-elle pas passée brusquement d'un sombre crépuscule à une aurore éclatante et redoutable, depuis qu'elle lui a fait connaître la tendresse et le brutal frisson de l'amour ? Et elle l'a quitté en pleurs, irritée ! Il sent naître en lui l'irrésistible besoin de se réconcilier avec elle, de lui dire de douces et apaisantes paroles ; il a envie en quelque sorte de la tenir dans ses bras exempt de tout désir et de lui crier sa reconnaissance. Oui, il va aller la trouver humblement et lui dire combien son amour est pur, lui promettre de respecter à jamais son secret.

La chanson argentine de l'eau lui fait penser aux larmes qu'elle a versées tout à l'heure. Elle est peut-être seule en ce moment dans sa chambre et n'a pour toute confidente que la nuit frémissante qui épie tout le monde et ne console personne. Etre à la fois si loin et si près d'elle, sans apercevoir un reflet de ses cheveux, sans entendre, même faiblement, le son de sa voix, alors que leurs âmes sont étroitement mêlées, lui cause une intolérable souffrance. Il éprouve un invincible désir d'être auprès d'elle, ne serait-ce que couché en travers de sa porte comme un chien fidèle ou debout sous sa fenêtre, comme un mendiant.

Comme il s'est glissé timidement hors de l'ombre des arbres, il voit de la lumière dans la chambre de Margot, au premier étage. Elle projette une faible clarté : c'est à peine si elle effleure les feuilles de l'immense érable dont les branches, pareilles à des mains, essayent de frapper au carreau et qui se balance dans la brise, sombre et gigantesque espion posté devant la petite fenêtre entr'ouverte. La pensée qu'elle veille derrière ces vitres luisantes, qu'elle pleure peut-être encore ou pense à lui le bouleverse à tel point qu'il est obligé pour ne pas chanceler de s'appuyer à l'érable vers lequel il s'est avancé,

Il regarde fixement la fenêtre, comme fasciné. Les rideaux blancs qu'agite un léger souffle d'air flottent en dehors de la zone d'ombre : ils paraissent tantôt vieil or, dans la chaude lumière que la lampe projette, tantôt argentés quand la brise les amène dans le rayon de lune qui filtre en tremblant entre les feuilles dentelées. Sur les vitres lumineuses où glissent parfois des ombres les yeux ardents du jeune exalté croient lire des signes cabalistiques révélateurs de l'avenir. Son imagination est remplie de troublantes images. Il voit la grande et belle Margot, les cheveux dénoués, ses cheveux blonds et fous, aller et venir dans sa chambre le cœur en proie aux mêmes tourments que les siens ; il la voit s'agiter dans la fièvre de sa passion, verser des larmes de colère. Les murs pour lui sont de verre. Il discerne à présent le moindre de ses gestes, le tremblement de ses mains ; il la voit s'effondrer dans un fauteuil et contempler avec un muet désespoir le ciel luisant d'étoiles. Un instant, tandis que la vitre s'éclaire, il croit même reconnaître son visage, qui se penche anxieusement au-dessus du jardin endormi pour tâcher de l'apercevoir. Alors, emporté par la violence de son amour, il l'appelle d'une voix contenue, mais pressante : Margot !... Margot !

La chose blanche qui vient de glisser rapidement sur la surface de la vitre, n'était-ce pas un voile ? Il le croit bien. Il tend l'oreille. Rien ne bouge. Derrière lui, le souffle léger des arbres somnolents et le frôlement soyeux de la brise dans l'herbe montent, décroissent et augmentent de nouveau comme une vague tiède qui se meurt doucement pour renaître aussitôt après. La nuit respire calmement et, rectangle d'argent enchâssé dans un tableau noir, la fenêtre reste muette. Ne l'a-t-elle pas entendu ou bien ne veut-elle pas l'entendre ?

Il est troublé au plus haut point. Son cœur tourmenté bat à grands coups dans sa poitrine ; il lui semble que l'écorce de l'arbre contre lequel il s'appuie tremble au contact violent de sa passion. Il n'a plus qu'une pensée : la voir, lui parler, dût-il crier son nom et risquer de réveiller tout le monde. Il sent qu'il va se passer quelque chose, les plus grandes folies lui paraissent opportunes et tout lui semble, comme en rêve, facile à réaliser. Il remarque alors en levant encore une fois les yeux vers la fenêtre que l'arbre presque adossé au mur étend vers elle une de ses branches comme un poteau indicateur ; déjà ses mains agrippent furieusement le tronc. Subitement les idées se précisent : il va grimper à l'arbre — le tronc est bien large, il est vrai, mais il est souple et agile — et il l'appellera de là-haut, à quelques centimètres seulement du rebord de la croisée. Une fois près d'elle, il lui parlera et ne descendra pas avant qu'elle lui ait pardonné. Il ne réfléchit pas une seconde de plus, il n'a d'yeux que pour cette fenêtre fascinante tandis que ses mains palpent l'arbre vigoureux et prêt à le porter. Deux ou trois tractions rapides, encore un effort et déjà ses mains s'accrochent à une branche, élevant son corps dans un rétablissement énergique. Le voilà presque au faîte de l'arbre, suspendu dans les branchages qui oscillent sous son poids. Leur frémissement déferle comme une vague jusqu'aux dernières feuilles et la branche qui s'appuie contre la maison s'incline davantage vers la fenêtre, comme pour avertir la jeune fille. Notre grimpeur aperçoit à présent le plafond blanc de la chambre et le lumineux cercle d'or que la lampe projette en son milieu. Il tremble d'émotion : d'un instant à l'autre, il le sait, il va la voir, sanglotant ou pleurant doucement, ou bien dans la voluptueuse nudité de son corps. Ses bras mollissent, mais il se ressaisit.

Il se laisse glisser lentement le long de la branche qui mène à la baie. Ses genoux saignent, il s'est déchiré les mains ; il continue quand même à descendre, il est sur le point d'entrer dans la clarté de la fenêtre. Un bouquet de feuilles lui masque encore la vue, l'empêche de jeter cet ultime coup d'œil tant désiré. Déjà il avance la main pour l'écarter, déjà un rayon de lumière crue s'abat sur lui. Au moment où il se penche en avant tout frémissant voici qu'il chancelle, perd l'équilibre et tombe en tournoyant.

Un choc assourdi, analogue à la chute d'un fruit mûr, se fait entendre sur le gazon. Là-haut une forme se penche par la fenêtre ; mais la nuit est calme et silencieuse comme un étang qui vient d'engloutir un noyé. Bientôt la lumière s'éteint dans la chambre, et le jardin reprend son aspect fantasmagorique parmi les ombres silencieuses.

Au bout de quelques minutes, le jeune garçon sort de son étourdissement. Il contemple un instant avec étonnement le ciel pâle où quelques étoiles égarées semblent un froid regard posé sur lui. Tout à coup une atroce douleur dans la jambe droite le fait tressaillir, une douleur qui manque de lui arracher un cri au premier mouvement qu'il tente de faire. Il comprend soudain ce qui lui est arrivé. Il comprend qu'il ne doit pas rester étendu sous la fenêtre de Margot, qu'il ne doit pas appeler à l'aide ni faire de bruit en se déplaçant. Son front saigne : il a dû en tombant sur le gazon heurter un caillou ou un morceau de bois ; il essuie le sang avec sa main pour l'empêcher de couler dans ses yeux. Recroquevillé sur le côté gauche, il essaye de se traîner en enfonçant ses ongles dans le sol. Au moindre heurt, à la moindre secousse, sa jambe brisée le fait tant souffrir qu'il craint de reperdre connaissance. Il avance lentement, il met presque une demi-heure pour atteindre l'escalier, ses bras commencent à s'engourdir. Sur son front une sueur froide se mêle au sang qui ne cesse de couler. Le plus dur reste encore à faire : il s'agit d'atteindre le palier et ce n'est qu'avec une lenteur infinie, au prix d'horribles souffrances qu'il y parvient. Une fois là, il est à bout de souffle. Il fait encore en se traînant les quelques pas qui le séparent du salon. où il entend parler et voit briller de la lumière. Il se relève en se cramponnant au bec de cane, la porte s'ouvre, il s'abat dans la pièce.

Il doit avoir un air effrayant lorsqu'il fait ainsi irruption dans le salon, le visage ensanglanté, plein de terre, et qu'il s'effondre sur le plancher comme une masse ; les hommes ont un violent sursaut, les chaises sont renversées, tout le monde se précipite à son secours. On le porte avec précaution sur le canapé. Il a tout juste le temps de balbutier quelques mots : il a roulé en bas de l'escalier en voulant se rendre dans le parc. Puis soudain des disques noirs passent devant ses yeux, dansent autour de lui et l'encerclent de toutes parts, Sa vue s'obscurcit et il s'évanouit.

On selle un cheval, on court chercher un médecin au village le plus proche. Le château, réveillé, s'anime d'une vie fantastique : pareilles à des lucioles des lumières tremblotantes s'allument dans les couloirs ; les portes s'ouvrent, on chuchote, on s'interroge. Les domestiques arrachés à leur sommeil arrivent, effarés ; finalement on transporte le jeune homme dans sa chambre.

Le médecin diagnostique une fracture du tibia et rassure tout le monde : il n'y a pas de complication à redouter. Seulement le blessé devra rester pendant plusieurs semaines immobile et la jambe dans le plâtre. Quand on lui annonce cela il sourit faiblement. Cette nouvelle ne l'affecte pas beaucoup. Il est si bon, en effet, d'être là étendu, seul, loin des hommes et du bruit, dans une chambre haute et claire, tout près de la cime frémissante des arbres, quand on veut penser à une amante ; il est si agréable de méditer en toute quiétude, délié de tout devoir, de toute obligation, de s'abandonner ainsi à de douces rêveries et de vivre en tête à tête avec ces chères images qui s'approchent de votre lit quand on ferme un instant les paupières. L'amour n'a peut-être pas de plus suaves moments que ces rêveries languissantes.

La douleur est encore très vive durant les premiers jours. Mais il y trouve une étrange jouissance. L'idée qu'il endure cette souffrance pour l'amour de Margot, pour l'amour de sa bien-aimée, remplit le jeune garçon d'un orgueil immense et bien digne d'un cœur romanesque. Il eût été beau, pense-t-il, de s'être fait au visage une blessure sanglante qu'il aurait pu constamment arborer, comme un chevalier les couleurs de sa dame ; ou mieux encore d'être resté sans connaissance, écrasé, là où il était tombé. Dans son imagination il voit alors Margot s'éveillant le lendemain au bruit que font les gens en s'interpellant sous sa fenêtre ; curieuse, elle se penche et l'aperçoit gisant, mort pour elle. Elle s'affaisse en poussant un cri ; il entend ce cri perçant retentir à ses oreilles. Il assiste ensuite à son chagrin, à son désespoir. Il la suit tout au long de l'existence : sa vie est brisée ; longtemps vêtue de noir, elle va, triste et sombre ; un léger tremblement agite ses lèvres lorsque les gens lui demandent la cause de sa douleur.

Et il rêve ainsi des journées entières : au début dans l'obscurité seulement, puis les yeux grands ouverts, vite accoutumé à évoquer l'image de l'aimée. Nulle heure n'est assez lumineuse pour empêcher son ombre radieuse de se glisser jusqu'à lui le long des murs ; ni assez bruyante pour qu'il n'entende pas sa voix au dehors dans le dégouttement de la pluie qui tombe du feuillage, ou dans le craquement du sable sous les rayons brûlants du soleil. Il lui parle pendant des heures ou bien il rêve qu'ils voyagent ensemble et qu'ils font de ravissantes excursions. Mais parfois il sort bouleversé de ses rêveries. Porterait-elle vraiment son deuil ? Se souviendrait-elle même de lui ?

Certes Margot vient fréquemment rendre visite au malade. Souvent alors qu'il s'entretient avec elle en pensée et qu'il croit la voir devant lui la porte s'ouvre et elle entre, grande et belle, mais bien différente cependant de celle de son imagination. Elle n'est pas douce, en effet, et ne se penche pas sur lui pour le baiser au front comme la Margot de ses rêves ; elle se contente de s'asseoir près de sa chaise longue, lui demande comment il va, s'il souffre, lui dit des choses banales. Sa présence lui cause chaque fois une frayeur et un trouble si délicieux qu'il n'ose la regarder ; souvent il ferme les paupières pour mieux entendre ses paroles, pour mieux enregistrer dans son cœur le son de sa voix, étrange musique qui vibre ensuite à ses oreilles pendant des heures. Il hésite à lui répondre, car il aime par trop ces moments de silence où il ne perçoit que le bruit de la respiration de la jeune fille et où il éprouve le plus fortement l'impression d'être seul avec elle dans la pièce, dans l'univers. Lorsqu'elle se lève et se dirige vers la porte, il se redresse péniblement pour bien graver dans sa mémoire tous les traits de sa silhouette mobile, pour l'embrasser une dernière fois du regard pendant qu'elle est là vivante, avant qu'elle retombe dans l'incertaine réalité de ses rêves.

Margot vient presque tous les jours. Mais Kitty ne vient-elle pas aussi ? Et Elisabeth, la petite Elisabeth qui le regarde toujours avec des yeux si effrayés, qui lui demande d'une voix si douce, si inquiète s'il ne va pas encore mieux ? Et toutes les autres ne viennent-elles pas le voir également et ne se montrent-elles pas aussi affectueuses ? Ne restent-elles pas auprès de lui à lui raconter toutes sortes d'histoires ? Elles restent même beaucoup trop longtemps, car leur présence chasse les rêves de son esprit, le tire de sa paisible méditation, le force à écouter des propos sans importance, stupides, parfois. Il aimerait qu'elles cessassent leurs visites et qu'il n'y eût que Margot qui vînt le voir, rien qu'une heure, rien que quelques minutes ; après il demeurerait seul pour rêver à elle sans être importuné ni dérangé, bercé par une douce joie, replié dans la contemplation des visions consolatrices de son amour.

C'est pourquoi souvent quand tourne la poignée de la porte il clôt les paupières et feint de dormir. Alors les visiteurs se retirent sur la pointe des pieds, referment avec précaution, et il peut se replonger dans les flots tièdes de sa rêverie, qui l'emporte doucement vers de lointains et séduisants pays.

Or, un jour, il lui arrive cette chose : Margot est déjà venue le voir ; elle est restée peu de temps, mais elle lui a apporté dans ses cheveux toutes les senteurs des fleurs du jardin et dans ses yeux l'éclat brillant du soleil d'août. Elle ne reviendra que le lendemain. Il a donc devant lui une longue et radieuse après-midi qu'il va consacrer à rêver car il sait que tout le monde est parti se promener et qu'il n'aura plus de visite. Et pourtant, soudain, la porte s'ouvre timidement ; il baisse les paupières et fait semblant de dormir. Mais la personne qui vient d'entrer — il entend tous les bruits avec une grande netteté dans cette chambre où règne un silence absolu — ne se retire pas ; elle ferme sans bruit pour ne pas l'éveiller. Il perçoit le léger froufrou d'une robe : la personne s'approche avec précaution, c'est à peine si ses pieds effleurent le parquet, Elle s'assoit auprès de lui. A travers ses paupières baissées, il sent la brûlure ardente d'un regard enflammé qui se pose sur son visage. Son cœur se met à battre violemment. Est-ce Margot ? Sûrement, mais il éprouve une douce émotion, un charme mystérieux et lascif à ne pas ouvrir les yeux. Que va-t-elle faire ? Les secondes lui paraissent interminables. Elle le regarde toujours épiant son sommeil. Le sentiment pénible et cependant enivrant qu'il ressent ainsi exposé à sa vue, sans défense, les yeux bandés en quelque sorte, lui cause comme un fourmillement électrique sur le corps. Il sait que s'il ouvrait brusquement les yeux, il envelopperait d'un regard plein de tendresse le visage effrayé de Margot. Mais il ne bouge pas, il retient sa respiration, qui devient angoissée et haletante dans sa poitrine trop étroite, et il continue d'attendre.

Il lui semble qu'elle se penche davantage sur lui, qu'il sent plus près de son visage ce léger parfum, cette subtile odeur de lilas mouillé qu'il reconnaît pour l'avoir respirée sur ses lèvres. Soudain son sang quitte ses joues et déferle telle une vague brûlante à travers son corps : une main vient de se poser sur sa couche et glisse doucement le long de son bras sur la couverture. C'est une caresse, calme, délicate dont il sent les effluves magnétiques et à la poursuite de laquelle son sang se lance avec impétuosité. Elle lui cause une sensation délicieuse, enivrante et énervante à la fois.

Lentement, presque en mesure, la main continue de glisser le long de son bras. Il coule un regard à la dérobée entre ses paupières. Il ne distingue tout d'abord qu'une faible lueur pourpre, un flot de lumière trouble ; ensuite il entrevoit la couverture tachetée de sombre qu'on a étendue sur lui et enfin, comme si elle venait de très loin, la main qui le caresse. Elle est très indistincte, petite lueur blanche qui s'avance à la façon d'un nuage lumineux, puis recule. Il entr'ouvre un peu plus les yeux. A présent, il discerne nettement ses doigts, blancs et brillants comme de la porcelaine ; il les voit s'approcher légèrement courbés, et reculer ensuite paresseusement, quoique toujours animés d'une grande vie intérieure. Ils s'avancent et se retirent comme des antennes, et à ce moment il a l'impression que cette main est douée d'une vie propre. On dirait un chat qui se câline contre vos vêtements, un petit chat blanc qui s'approche de vous en faisant patte de velours et en ronronnant amoureusement ; il ne s'étonnerait pas de voir briller tout à coup ses yeux. Et réellement n'est-ce pas un regard étincelant qu'il voit luire dans cette chose blanche qui glisse sur lui ? Non, ce n'est que l'éclat d'un métal, le scintillement de l'or. Mais à présent que la main s'avance de nouveau il distingue la médaille révélatrice qui tremble à son bracelet. C'est la main de Margot qui caresse son bras; l'envie le prend de porter à ses lèvres cette douce et blanche main que n'orne aucune bague et de la couvrir de baisers. Mais il sent passer un souffle sur sa joue, il devine la tête de Margot tout près de la sienne. Il ne peut tenir plus longtemps ses paupières baissées : rayonnant de bonheur il ouvre les yeux avec ravissement sur le visage de l'aimée, qui tressaille et recule avec effroi.

Alors, au moment où le visage incliné au-dessus du sien sort de l'ombre, où la lumière en inonde les traits bouleversés par l'émotion, il reconnaît — tout son corps en frissonne — Elisabeth, la sœur de Margot, la jeune et étrange Elisabeth. Est-ce un rêve ? Il regarde fixement ce visage qu'envahit une rougeur subite, elle détourne craintivement les yeux : nul doute, c'est Elisabeth. Il voit soudain sa terrible méprise. Son regard s'abaisse sur le poignet de la jeune fille : la médaille mystérieuse y est bien.

Tout commence à tourner devant ses yeux. Il éprouve la même sensation que lorsqu'il s'est trouvé mal au moment de son accident : mais il serre les dents, il ne veut pas perdre connaissance. Tout défile devant lui avec la rapidité de l'éclair, condensé dans l'espace d'une seconde : l'étonnement, les dédains de Margot, le sourire d'Elisabeth, cet étrange regard qui se posait sur lui comme une main discrète — non, non, aucune erreur n'est possible.

Un unique et faible espoir vibre encore en lui cependant. Cette médaille, Margot la lui a peut-être donnée aujourd'hui, hier ou bien après leurs rencontres dans le parc.

Mais déjà Elisabeth lui adresse la parole.

Ces fiévreuses pensées ont dû altérer ses traits, car elle lui demande anxieusement : « As-tu mal, Bob ! » Comme leurs voix se ressemblent ! songe-t-il. Et il répond machinalement : « Oui... Oui... c'est-à-dire non... Je me sens très bien ! »

Nouveau silence. Telle une vague brûlante l'idée que Margot lui a peut-être donné la médaille lui revient sans cesse. Il sait que cela ne peut pas être vrai, mais il faut qu'il l'interroge :

— Qu'est-ce que c'est que cette médaille ?

— Ah ! c'est une pièce de monnaie de je ne sais plus quelle république américaine. C'est l'oncle Robert qui nous les a rapportées.

— Qui ça, nous ?

Il retient son souffle. Elle est obligée de parler :

— Margot et moi. Kitty n'en a pas voulu, je ne sais pourquoi.

Il sent que ses yeux sont humides. Il détourne la tête avec précaution, afin qu'Elisabeth ne voie pas la larme qui doit être à présent au bord de ses paupières, larme qu'il ne peut réprimer et qui commence à descendre tout doucement sur sa joue. Il voudrait parler, mais il a peur de sa propre voix, il craint qu'elle ne se brise sous le poids du sanglot qui lui monte à la gorge. Ils se taisent tous deux, s'épiant avec angoisse. Finalement Elisabeth se lève : « Je m'en vais, Bob. Guéris vite ». Il baisse les paupières et la porte se referme en grinçant légèrement.

Les idées tourbillonnent dans sa tête comme un vol de pigeons effarouchés. Il conçoit l'énormité du malentendu ; la honte et la colère s'emparent de lui en pensant à sa sottise, mais il éprouve en même temps une violente souffrance. Il sait maintenant que Margot est à tout jamais perdue pour lui ; mais il sent qu'il l'aime d'un amour inchangé, peut-être à présent avec ce regret désespéré qu'on éprouve en face d'une chose irréalisable. Quant à Elisabeth — il repousse son image presque avec colère — ses abandons d'hier et l'ardeur si bien contenue de sa passion aujourd'hui ont moins de prix que n'en aurait un sourire de Margot ou une caresse de sa main, si jamais l'envie la prenait de le frôler du bout des doigts. Si Elisabeth s'était fait connaître à lui dans le parc il l'aurait aimée, car à ce moment-là son amour était encore celui d'un enfant pour ainsi dire. Mais maintenant le nom de Margot s'est trop profondément gravé dans son cœur au cours de ses rêves pour qu'il puisse l'effacer de sa vie.

Il se rend compte que les visions sont moins nettes devant ses yeux, que les pensées qui l'obsédaient s'enfuient peu à peu avec ses larmes. Comme il le faisait tous les jours il essaye mais en vain pendant ses longues heures de solitude d'évoquer l'image de Margot : Elisabeth avec ses yeux profonds où brille le désir se glisse sans cesse comme une ombre à ses côtés. Tout se brouille et il est obligé de se torturer l'esprit pour se rappeler comment les choses se sont passées. La honte s'empare de lui à la pensée qu'il s'est tenu sous la fenêtre de Margot, en criant son nom. D'autre part il est pris de pitié en songeant à la blonde et silencieuse Elisabeth pour laquelle il n'eut jamais ces jours-là le moindre mot, le moindre regard, alors que la reconnaissance aurait dû éclater sur son visage.

Le lendemain matin Margot vient s'asseoir un instant près de sa couche. Sa présence le fait frissonner et il n'ose la regarder en face. Que lui dit-elle ? Il l'entend à peine ; le furieux bourdonnement de ses tempes couvre la voix qui lui parle. Ce n'est que lorsqu'elle le quitte qu'il embrasse sa personne tout entière d'un regard nostalgique. Jamais, il le sent, il ne l'a davantage aimée.

L'après-midi Elisabeth vient à son tour. Ses gestes sont empreints d'une douce familiarité, sa main caresse parfois la sienne et elle parle tout bas d'une voix légèrement voilée où perce une certaine agitation. Elle l'entretient de choses indifférentes comme si elle craignait de se trahir en parlant d'elle-même ou de lui. Il ne sait pas bien ce qu'il ressent pour elle. Il lui semble tantôt que c'est de la pitié, tantôt de la reconnaissance qu'il éprouve pour son amour ; mais il est incapable de rien lui dire. Il ose à peine la regarder de peur de lui mentir.

Maintenant elle vient tous les jours et reste plus longtemps près de lui. On dirait que depuis l'instant où la lumière a commencé à se faire sur le mystère qui les unissait ils ont retrouvé le calme. Pourtant, ils n'osent jamais parler de ces minutes qu'ils ont vécues ensemble dans les ténèbres du jardin.

C'est ainsi qu'un jour Elisabeth est assise près de la chaise longue de Bob. Dehors, il fait un gai soleil. Le reflet vert de la cime frémissante des arbres tremble sur les murs. Dans ces moments-là, les cheveux de la jeune fille ont l'air de lancer des flammes, on dirait un nuage de feu ; sa peau paraît pâle et transparente, tout son être semble lumineux et pour ainsi dire aérien. La tête enfoncée dans l'oreiller sur lequel l'ombre s'étend, l'adolescent voit tout près de lui son visage souriant et s'il lui paraît si lointain, c'est qu'il est baigné par la lumière qui n'arrive pas jusqu'à lui. A ce spectacle, il oublie tout ce qui s'est passé. Et tandis qu'elle s'incline vers lui, que ses yeux semblent ainsi s'enfoncer davantage dans leurs orbites et font comme de sombres vrilles qui lui pénétreraient dans la tête, tandis qu'elle se penche il entoure son corps de ses bras, attire son visage près du sien et baise la petite bouche humide d'Elisabeth qui tremble violemment, mais ne résiste pas. Elle caresse les cheveux de Bob d'un air doux et triste. Puis, avec une intonation de tendre mélancolie dans la voix, elle lui murmure dans un souffle : « Mais tu n'aimes que Margot ! » Cet accent résigné, ce désespoir sans révolte, lui vont au cœur ; le nom qui l'émeut tant résonne dans son âme. Mais il ne se sent pas le courage de mentir en cette minute. Il se tait.

Elle l'embrasse encore une fois sur les lèvres, tout doucement, presque fraternellement puis elle sort sans dire un mot.

C'est la seule fois qu'ils font allusion à ce qui s'est passé entre eux.

Quelques jours se passent encore, puis on descend le convalescent au jardin. Les premières feuilles mortes se pourchassent dans les allées et le soir, qui tombe plus vite, fait penser à la tristesse des journées d'automne. Une semaine encore et le voici qui marche seul, avec peine cependant ; il se rend pour la première fois cette année sous le berceau multicolore des arbres qui se balancent dans le vent et parlent d'une voix plus forte et plus rude que pendant les trois fameuses et tièdes nuits d'été. Tristement l'adolescent s'y achemine. Il lui semble qu'un mur sombre se dresse, invisible, en cet endroit ; derrière ce mur, déjà noyée dans le crépuscule, se trouve son enfance et devant lui s'étend un pays inconnu et dangereux.

Le soir, il prend congé de tous. Une fois encore il dévore des yeux le visage de Margot comme s'il voulait s'imprégner pour toujours de son image et met en tremblant sa main dans celle d'Elisabeth qui la presse avec chaleur. C'est à peine s'il accorde un regard à Kitty, aux amis et à sa sœur tant son âme est pleine du sentiment qu'il aime une femme et qu'il est aimé d'une autre. Il est très pâle; un pli sévère barre son front et ôte à son visage toute expression enfantine ; il a l'air d'un homme.

Et pourtant lorsque les chevaux sont attelés et qu'il voit Margot faire demi-tour avec indifférence pour monter l'escalier ; lorsqu'il voit briller d'un éclat humide les yeux d'Elisabeth et celle-ci se cramponner à la rampe, il sent la plénitude de l'aventure avec une telle violence qu'il éclate en sanglots comme un enfant.

Le château baigné de lumière s'éloigne de plus en plus à travers les nuages de poussière soulevés par la voiture, le sombre parc se rapetisse ; le paysage s'estompe, finalement le cadre de son amour disparaît à ses yeux et n'est plus qu'un rappel oppressant. Une heure plus tard la voiture le dépose à la gare. Le lendemain il est à Londres.

Plusieurs années ont passé, Bob est devenu un homme. Mais cette première aventure est restée trop vivante en lui pour qu'elle puisse un jour se ternir. Margot et Elisabeth se sont mariées, il n'a jamais voulu les revoir : la pensée de ces heures troublantes s'est souvent emparée de lui avec une telle violence que sa vie ultérieure ne lui est plus apparue que comme un rêve, une illusion, comparée à la réalité du souvenir. Il est un de ces hommes qui ne peuvent plus trouver d'attrait à l'amour ni aux femmes ; lui qui à une heure de sa vie avait réuni si parfaitement ces deux sentiments, aimer et être aimé, aucun désir ne l'a plus jamais poussé à rechercher ce qui était si précocement tombé dans ses mains tremblantes et débiles de jeune adolescent. Il a parcouru de nombreux pays : c'est un de ces Anglais corrects et silencieux que beaucoup croient insensibles parce qu'ils sont taciturnes et que leur regard reste froid devant le visage et le sourire d'une femme. Qui penserait en effet que ces images sur lesquelles ils ont les yeux constamment fixés ils les portent en eux-mêmes, ensevelies au fond de leur cœur qui brûle pour elles d'une flamme éternelle comme un cierge devant une madone?

A présent je connais l'origine de cette histoire. Dans le livre que j'avais en main cet après-midi se trouvait une carte qu'un ami m'a écrite du Canada. C'est un jeune Anglais dont j'ai fait la connaissance en voyage, avec qui j'ai passé de longues soirées à bavarder et dans les récits duquel ne cessait d'apparaître, auréolé de mystère et comme pétrifié, le souvenir de deux femmes inséparablement lié à un épisode de sa jeunesse. Il y a longtemps, bien longtemps de cela et j'avais oublié nos conversations. Mais aujourd'hui lorsque j'ai reçu cette carte la mémoire m'en est revenue mêlée comme dans un songe à toutes sortes d'aventures personnelles. C'est ainsi qu'est née l'histoire que tu viens d'entendre et que je croyais avoir lue ou rêvée.

Mais comme il fait nuit dans la pièce et que tu me sembles lointain dans la profondeur du crépuscule! Je ne vois qu'une douce et pâle lueur à l'endroit où je devine ton visage et je ne sais si tu souris ou si tu es triste. Si tu souris parce que je suppose d'étranges aventures à des êtres que je connais superficiellement, parce que j'imagine pour eux toute une destinée et qu'ensuite je les abandonne tranquillement à leur existence et à leur sphère. Ou bien si tu es triste à la pensée que ce jeune garçon est passé à côté de l'amour et qu'au bout d'une heure il est sorti à jamais du paradis de son rêve délicieux. Vois-tu, je ne voulais pas que ce récit fût sombre ni mélancolique, je désirais simplement te parler d'un adolescent que l'amour a surpris, le sien et celui d'une autre personne. Mais les histoires que l'on raconte à cette heure suivent toutes le doux sentier de la mélancolie. Le crépuscule étend sur elles ses voiles, toute la tristesse que le soir porte en lui forme au-dessus d'elles une voûte où nulle étoile ne scintille; l'ombre s'y infiltre peu à peu et tous les mots brillants et colorés qu'elles renferment prennent alors une sonorité pleine et grave, comme s'ils venaient des profondeurs de notre âme.

LA NUIT FANTASTIQUE

(Notes posthumes du baron de R...)

Ce matin m'est soudain venue la pensée que je devrais écrire, pour moi, ce qui s'est passé dans cette nuit fantastique, afin de pouvoir suivre l'événement dans son développement naturel et complet. Et depuis j'éprouve le besoin inexplicable de me représenter, noir sur blanc, cette aventure, bien que je doute de pouvoir retracer, même de façon approximative, ce que les faits ont eu de spécifiquement singulier. Il me manque ce qu'on appelle le talent artistique, je n'ai aucune expérience des choses littéraires et, à l'exception de quelques productions plutôt amusantes datant de mon passage à l'institut Marie-Thérèse, je n'ai jamais essayé d'écrire. Je ne sais même pas, par exemple, s'il existe une technique qu'on puisse apprendre pour ordonner la succession de faits extérieurs, avec la répercussion simultanée qu'ils ont dans notre âme. Je ne me demande pas non plus si je suis capable d'adapter toujours au sens le mot juste et de donner au mot son juste sens et par là de réaliser cet équilibre qu'en lisant j'ai de tout temps senti sans effort chez tout bon narrateur ; mais je n'écris ces lignes que pour moi et elles ne sont pas destinées à faire comprendre aux autres ce que je puis à peine m'expliquer moi-même. Elles ne sont qu'une tentative faite pour liquider enfin, une fois pour toutes, en un certain sens pour le fixer, le camper devant moi et le saisir sous toutes ses faces, un événement qui m'occupe sans cesse et qui m'agite, par une sorte de fermentation douloureuse.

Je n'ai parlé de la chose à aucun de mes amis, parce que je craignais de ne pas pouvoir leur faire comprendre ce qu'il y a eu là d'essentiel et puis aussi par honte d'avoir été ébranlé et bouleversé de la sorte par un cas si fortuit. Car, à vrai dire, le tout n'est qu'une petite affaire. Mais, en écrivant maintenant ce dernier mot, je commence déjà à m'apercevoir combien il est difficile pour un profane de choisir dans ce qu'il écrit les mots d'après leur poids véritable, et quelle ambiguïté, quelle possibilité de malentendus se rattachent au vocable le plus simple. En effet, si je qualifie mon affaire de petite, je ne prends ce mot-là qu'au sens relatif par opposition aux drames grandioses qui influencent des destinées et des peuples entiers; d'autre part, je veux dire par là que c'est une petite affaire au point de vue de la durée parce que le tout se déroule en six rapides heures. Mais, pour moi, cet événement, qui par lui-même était donc si petit, si peu important et si insignifiant, constituait un fait à ce point extraordinaire qu'aujourd'hui encore (quatre mois après cette nuit fantastique), j'en suis tout brûlant et que je dois déployer toutes mes forces intellectuelles pour le retenir dans ma poitrine.

Chaque jour, chaque heure, je m'en répète tous les détails, car il est en quelque sorte devenu le pivot de mon existence, tout ce que je fais et dis est inconsciemment influencé par lui; mes pensées sont uniquement occupées à répéter sans cesse son apparition soudaine et, par cette répétition, à m'en confirmer la possession; et maintenant je sais aussi tout d'un coup ce qu'il y a dix minutes, en prenant la plume, j'ignorais complètement : c'est que je ne mets par écrit cet événement que pour qu'il soit fixé devant moi avec une certitude absolue et pour ainsi dire d'une façon objective, pour en jouir encore une fois dans ma sensibilité et en même temps le saisir dans ma pensée. En disant tout à l'heure que, si je l'écrivais, c'était pour le liquider, pour en finir avec lui, j'exprimais tout le contraire de la vérité, car ce que je veux, c'est rendre plus vivant encore ce que j'ai vécu trop vite, le placer à côté de moi en quelque sorte tout chaud et tout haletant, pour pouvoir l'étreindre sans cesse.

Oh ! je ne crains pas d'oublier, ne fût-ce qu'une seconde, ce lourd après-midi, cette nuit fantastique; je n'ai pas besoin de point de repère, de pierre milliaire, pour refaire pas à pas dans ma mémoire le chemin de ces heures-là : comme un noctambule, je me retrouve à chaque instant dans sa sphère, au milieu du jour comme au milieu de la nuit, et je vois chaque détail avec cette netteté que seul le cœur connaît et non pas le trop fluide souvenir. Je pourrais ici également dessiner sur le papier les contours nets du paysage où s'épanouissait la verdure printanière; maintenant, en cette saison d'automne, je perçois encore doucement la tendre buée poudreuse des marronniers en fleurs; si donc je décris à présent ces heures-là, ce n'est pas par crainte de les perdre, mais pour la joie de les retrouver. Et, en me représentant aujourd'hui dans leur succession exacte les faits de cette nuit-là, je vais être obligé de faire bien attention pour en respecter l'ordre, car toujours, dès que je pense aux détails, une sorte d'ivresse me saisit, une extase jaillit de mon âme et je suis obligé de classer les images de mon souvenir pour qu'elles ne se confondent pas et ne deviennent pas une fumée colorée. Toujours je revis avec une ardeur passionnée cet événement-là, cette journée du 7 juin 1913, où, l'après-midi, je pris un fiacre.

Mais, encore une fois (je m'en rends compte), il faut que je m'arrête, car déjà je constate de nouveau avec épouvante l'ambiguïté et la signification multiple d'un seul et même mot. C'est seulement maintenant que pour la première fois j'ai à raconter quelque chose d'une manière cohérente que je remarque combien il est difficile de concentrer dans une forme fixe ce glissement des choses qui caractérise toute vie. Je viens d'écrire « je ». Mais ce mot-là constituerait déjà une équivoque, car il y a longtemps que j'ai cessé d'être le « je » de naguère, de ce 7 juin, bien que quatre mois seulement se soient écoulés depuis lors, bien que j'habite dans l'appartement de ce « je » d'autrefois et que je sois en train d'écrire sur sa propre table de travail avec sa propre plume et sa propre main. Mon être d'à présent est tout à fait distinct de l'être d'alors et précisément c'est cet événement qui m'a séparé de lui ; je le vois de l'extérieur tout à fait froidement et comme un étranger et je puis le décrire comme un compagnon de jeux, un camarade, un ami dont je sais beaucoup de choses et même l'essentiel, mais de qui je suis tout à fait différent. Je pourrais parler de lui, le blâmer, le condamner, sans même remarquer qu'un jour il n'a fait qu'un avec moi.

L'homme que j'étais alors se distinguait très peu, tant au point de vue extérieur qu'intérieur, de la plupart des gens de sa catégorie sociale, que chez nous, à Vienne, on a coutume d'appeler la « bonne société », sans aucune fierté spéciale et simplement comme une chose qui va de soi. J'allais dans ma trente-sixième année; mes parents étaient morts de bonne heure et peu de temps avant ma majorité m'avaient laissé une fortune suffisante pour me dispenser désormais de songer à gagner ma vie ou à me faire une carrière. Ainsi me fut à l'improviste ôté tout le souci, qui alors m'inquiétait fort, de prendre une décision. En effet, je venais d'achever mes études universitaires et j'étais sur le point de choisir ma future profession, choix qui sans doute se serait porté sur l'administration, grâce à nos relations de famille et à mon penchant, qui, déjà, s'affirmait de bonne heure pour une existence contemplative et sans secousses, lorsque la fortune de mes parents m'échut, en qualité d'unique héritier, et m'assura soudain une indépendance exempte de tout travail, me permettant même de satisfaire des désirs de dépense et de luxe.

Je n'avais jamais eu d'ambition ; aussi je résolus de regarder d'abord la vie pendant quelques années et d'attendre le moment où j'éprouverais le besoin de me trouver un champ d'activité. Mais je ne dépassai pas ce stade d'attente et de contemplation, car, comme je ne désirais rien de spécial, j'avais tout ce que je voulais dans le cercle étroit de mes désirs. La molle et voluptueuse ville de Vienne qui, comme nulle autre, fait de la promenade, de la rêverie oisive et de l'élégance une sorte de perfection artistique et un but qui suffit à satisfaire une existence, me fit oublier complètement mon intention de me livrer à une activité véritable. J'avais toutes les jouissances d'un jeune homme distingué, noble, riche, et, par-dessus le marché, sans ambition, j'avais les inoffensives émotions du jeu et de la chasse, les distractions régulières des voyages et des excursions et bientôt je me mis à cultiver cette existence contemplative avec un soin toujours plus savant et, en outre, toujours plus raffiné.

Je collectionnai des cristaux de prix, moins par passion véritable que pour la joie d'arriver à posséder des connaissances sérieuses en une matière qui n'exigeait de moi aucun effort. J'ornai mon appartement d'un genre particulier de gravures italiennes de style baroque et de paysages dans la manière du Canaletto, dont la recherche chez les antiquaires ou l'achat dans les ventes aux enchères étaient pour moi une sorte de stimulant, analogue à la chasse, tout en étant sans aucun danger ; je me livrais avec plaisir et toujours avec goût à maint divertissement, je manquais rarement l'occasion d'écouter de bonne musique et de visiter les ateliers de nos peintres. Je n'étais pas sans succès auprès des femmes; ici aussi, avec ce secret instinct du collectionneur, qui révèle en quelque sorte l'inoccupation intérieure, j'avais accumulé dans ma mémoire de nombreuses heures charmantes et précises et, du simple jouisseur du début, j'étais devenu un connaisseur savant. Somme toute, j'avais beaucoup vécu, ce qui remplissait agréablement mes journées et enrichissait mon existence et j'aimais de plus en plus cette atmosphère tiède et confortable d'une jeunesse pleine d'excitations, mais jamais ébranlée à fond. Mes désirs ne se renouvelaient pas, car de toutes petites choses pouvaient, dans l'air calme de mon existence, me procurer une véritable joie. Une cravate bien choisie était déjà pour moi une sorte de plaisir, un beau livre, une excursion en automobile ou une heure passée avec une femme suffisaient à me donner un bonheur absolu. Dans ce genre de vie, ce qui m'était aussi agréable, c'est que, en aucune manière, tout comme un costume anglais d'une correction irréprochable, je ne me faisais pas remarquer de la société. Je crois que l'on me considérait comme un homme de fréquentation charmante; j'étais aimé et bien vu et la plupart de ceux qui me connaissaient me qualifiaient d'heureux mortel.

Aujourd'hui je suis incapable de dire si cet homme d'autrefois que je m'efforce de me représenter se considérait lui-même comme heureux, ainsi que le prétendaient les autres; car maintenant, étant donné que l'événement dont je veux parler m'a porté à exiger de tout sentiment un sens beaucoup plus plein et plus dense, toute appréciation rétrospective me paraît presque impossible.

Cependant, je puis dire avec certitude qu'à cette époque-là je ne me trouvais pas du tout malheureux, car presque jamais mes désirs ne restaient insatisfaits et ce que je demandais à la vie m'était presque toujours accordé. Cependant, le fait que je m'étais habitué à recevoir du destin tout ce que je voulais et que je ne trouvais rien d'autre à exiger de lui pouvait de plus en plus faire conclure à un certain manque d'intensité et à une vie en elle-même peu vivante. Ce qui alors inconsciemment s'éveillait en moi, en mainte heure de sourde aspiration où je me trouvais dans une sorte de demi-connaissance, ce n'étaient pas, à vrai dire, des désirs, mais simplement le désir d'en éprouver, le besoin de nourrir des vues plus larges, plus fortes, des ambitions moins facilement satisfaites, le besoin de vivre davantage et peut-être aussi de souffrir.

Par une technique trop raisonnable, j'avais éliminé de mon existence toute résistance, et ce manque de résistance faisait tort à ma vitalité. Je remarquais que mes désirs devenaient de moins en moins nombreux et toujours plus faibles, qu'il y avait une sorte d'engourdissement de ma sensibilité et que (c'est peut-être la meilleure expression à employer) je souffrais d'une impuissance morale, d'une incapacité de prendre passionnément possession de la vie. Je reconnus cette lacune qui était en moi d'abord à de petits signes. Je m'aperçus que je négligeais très souvent d'assister à certains spectacles sensationnels, que je commandais des livres qui m'avaient été vantés et les laissais ensuite sans les couper pendant des semaines sur ma table; que si je continuais à acheter machinalement des cristaux et des antiques, c'était sans procéder ensuite à leur classement et sans me réjouir de l'acquisition inespérée d'une pièce rare et longtemps cherchée.

Néanmoins je n'eus vraiment conscience de cette diminution progressive, quoique légère, de ma force de réaction intellectuelle qu'à propos d'une circonstance dont il me souvient encore nettement. Cet été-là (du fait de mon étrange paresse qui ne se sentait attirée par aucune nouveauté) j'étais resté à Vienne, lorsque soudain je reçus d'une ville d'eaux la lettre d'une femme avec qui j'entretenais depuis trois ans une liaison intime et que même je croyais aimer d'une façon sincère. Elle m'écrivait dans quatorze pages pleines d'émotion qu'au cours des dernières semaines elle avait fait la connaissance d'un homme qui lui était devenu très cher, qui même était tout pour elle, de sorte qu'elle allait l'épouser à l'automne et que notre liaison devait prendre fin. Elle pensait sans regret, disait-elle, et même avec bonheur au temps que nous avions vécu ensemble; mon souvenir l'accompagnerait dans sa nouvelle vie comme ce qu'il y avait de plus précieux dans sa vie passée et elle espérait que je lui pardonnerais une résolution si brusque. Après cette information objective, la lettre, qui prenait un ton très ému, se répandait en objurgations tout à fait touchantes, me suppliant de ne pas me fâcher et de ne pas trop souffrir de cette défection imprévue. Mon amie me conjurait de ne pas essayer de la retenir par la violence, de ne pas commettre contre moi-même une folie, elle m'invitait à chercher des consolations auprès d'une femme meilleure qu'elle et à lui écrire tout de suite, car elle était inquiète de la façon dont j'accueillerais cette nouvelle. Et en post-scriptum, au crayon, elle avait encore écrit : « Ne fais rien de déraisonnable, comprends-moi, pardonne-moi. »

Je lus donc cette lettre, d'abord surpris de la nouvelle et puis, après l'avoir achevée, je la relus, mais, cette fois-ci, avec une certaine honte qui, prenant conscience d'elle-même, s'accentua bientôt jusqu'à devenir une épouvante intérieure, car de tous les sentiments puissants et, à vrai dire, naturels que mon amie supposait devoir s'éveiller en moi, comme une chose qui va de soi, je n'en avais éprouvé aucun, ne fût-ce que dans une faible mesure. La nouvelle ne m'avait pas fait souffrir, je ne m'étais pas fâché contre mon amie, je n'avais pas songé une seconde à un acte de violence contre elle ou contre moi, et cette froideur de sentiments était si singulière qu'il était forcé que je m'en effrayasse moi-même. Voilà que s'éloignait de moi une femme qui avait été la compagne de ma vie pendant des années, dont le corps ardent s'était élastiquement prêté au mien, dont l'haleine s'était confondue avec la mienne pendant de longues nuits, et rien ne remuait en moi. Rien ne protestait, rien ne cherchait à la reconquérir, rien ne s'éveillait dans ma sensibilité de ce que le simple instinct de cette femme supposait devoir être une chose naturelle chez un homme normal. C'est à ce moment-là que je me rendis compte pour la première fois, d'une manière complète, combien le processus d'engourdissement s'était développé en moi; je ne faisais que glisser comme sur une eau courante et miroitante, sans m'attacher à rien, sans m'être enraciné nulle part et je savais bien que cette froideur était quelque chose de cadavérique, sur quoi, il est vrai, ne s'élevait pas encore la pestilence de la corruption, mais qui, malgré tout, était déjà une torpeur sans espoir, une froide et effrayante insensibilité et, par conséquent, comme la minute qui précède la mort véritable, la mort physique, la fin, visible même extérieurement, de toutes choses.

Depuis cet épisode, je me mis à m'observer avec attention, à observer cette étrange apathie qui était en moi, comme un malade observe sa maladie. Lorsque, peu de temps après, un de mes amis vint à mourir et que je suivis son cercueil, j'auscultai mon âme pour savoir si le deuil, si la douleur ne la faisaient pas vibrer, s'il n'y avait pas dans mon être quelques fibres sensibles, en constatant que cet homme que je connaissais depuis mon enfance était à jamais perdu pour moi. Mais rien ne bougeait; je me considérais moi-même comme un objet en verre à travers lequel brillent d'autres objets, mais qui ne les contient pas. et j'eus beau m'efforcer, en cette circonstance et en beaucoup d'autres semblables, de ressentir quelque chose, j'eus beau même chercher à contraindre ma sensibilité par des raisons intellectuelles, aucune réponse ne sortit de cette rigidité intérieure. Les hommes me quittaient, les femmes allaient et venaient, cela ne faisait pas plus d'impression sur moi qu'en fait, sur quelqu'un qui est assis dans sa chambre, la pluie qui tombe sur la vitre ; entre moi et la réalité immédiate, il y avait une cloison de verre que je n'avais pas la force de briser.

Bien qu'à ce moment je me rendisse nettement compte de tout cela, cette constatation ne me troublait pas beaucoup, car, comme je l'ai déjà dit, j'accueillais avec indifférence même les choses qui concernaient ma propre personne. Je n'avais même plus assez de sensibilité pour en souffrir. Il me suffisait que cette lacune morale fût aussi peu perceptible extérieurement que, par exemple, l'impuissance physique, laquelle ne se révèle que dans la seconde physiologique; et souvent en société, grâce à une affectation d'admirer les choses, grâce à des exagérations voulues d'expansivité, je parvenais à cacher la façon dont je me sentais devenu indifférent et apathique. Extérieurement, je continuais de vivre mon ancienne vie, confortable et sans entrave, sans en changer l'orientation. Des semaines, des mois passaient d'un vol léger devant moi et peu à peu devenaient des années.

Un matin, j'aperçus dans la glace un cheveu gris à ma tempe; je sentis que ma jeunesse se préparait lentement à disparaître dans un autre monde, mais ce que les autres appelaient jeunesse était fini chez moi depuis longtemps. Ainsi l'adieu à cette jeunesse ne me fit pas beaucoup souffrir, car ma propre jeunesse, je ne l'aimais pas assez pour cela. Ce qu'il pouvait y avoir d'orgueil en moi restait muet, même à l'égard de mon être.

Par suite de cette immobilité interne, mes jours devinrent toujours plus uniformes, malgré toute la variété de mes occupations et de mon existence; ils s'ajoutaient l'un à l'autre sans aucun relief, leur nombre se développait et puis ils se flétrissaient et se jaunissaient, comme les feuilles d'un arbre. Et c'est d'une manière tout à fait ordinaire, sans rien de particulier, sans aucun symptôme intérieur, que commença aussi ce jour sans analogue que je veux maintenant me décrire à moi-même.

Ce jour-là, 7 juin 1913, je m'étais levé plus tard que d'habitude, par ce sentiment du dimanche que je conservais encore inconsciemment en moi depuis mon enfance, depuis mes années d'écolier ; j'avais pris mon bain, lu le journal et feuilleté des livres, puis, attiré par la chaude température estivale, qui pénétrait sympathiquement dans ma chambre, j'étais allé me promener; j'avais comme de coutume parcouru le Ring au milieu des salutations échangées avec des connaissances; et, après une légère conversation avec l'une d'elles, j'étais allé déjeuner chez des amis. J'avais décliné tout rendez-vous pour l'après-midi, car j'aimais à disposer, le dimanche, de quelques heures de liberté, que j'employais alors uniquement suivant mon humeur du moment, mon caprice ou quelque résolution spontanée.

Lorsque, revenant de chez mes amis, je traversai les boulevards, je fus heureux de constater la beauté de la ville ensoleillée et je me réjouis de la voir parée comme au début de l'été. Les gens paraissaient tous joyeux et pleins d'amour pour cet aspect dominical qu'avait l'animation de la rue; beaucoup de détails me frappaient et surtout la manière dont, avec leur verdure nouvelle, les arbres se dressaient au-dessus de l'asphalte, comme de larges bouquets. Bien que je passasse presque chaque jour au même endroit, cette multitude d'hommes endimanchés me parut soudain quelque chose de merveilleux; malgré moi, j'eus le désir de me trouver en pleine verdure, en pleine gaieté et en pleine animation. Je me rappelai avec une certaine curiosité l'aspect du Prater, où alors, à la fin du printemps et au début de l'été, les lourds arbres, comme de gigantesques laquais verts, se dressent à gauche de l'allée principale où volent les voitures et présentent immobiles les blanches floraisons de leur cœur à la foule des promeneurs élégants et bien parés. Habitué à céder aussitôt même au plus fugitif de mes désirs, j'appelai le premier fiacre qui passait et, à la question du cocher, j'indiquai le Prater, comme lieu de destination.

«Aux courses, monsieur, n'est-ce pas?» répondit-il respectueusement, comme si c'était là une chose évidente.

C'est seulement alors que je me souvins que, ce jour-là, il y avait une réunion très fashionable, un Derby où toute la bonne société de Vienne se donnait rendez-vous. Quelle chose étrange ! pensai-je en montant en voiture. Comment eût-il été possible, il y a quelques années, que je négligeasse ou j'oubliasse une pareille journée? De même qu'un malade sent sa blessure à l'occasion d'un mouvement qu'il fait, de même je sentis, à cet oubli, toute la profondeur de l'indifférence qui m'avait envahi.

L'allée principale était déjà presque déserte lorsque nous y arrivâmes, les courses semblaient avoir commencé depuis longtemps, car on ne voyait pas cette file de voitures d'ordinaire si pompeuse ; seuls quelques fiacres isolés couraient des quatre fers de leurs chevaux, comme à la poursuite d'une chose invisible. Le cocher, du haut de son siège, se retourna vers moi pour me demander s'il devait aller au galop: mais je lui dis de laisser marcher ses chevaux tranquillement, car peu m'importait d'être en retard. J'avais trop vu de courses et trop souvent assisté au spectacle qu'elles offrent pour qu'arriver à temps pût encore m'intéresser ; mon indolence se trouvait mieux de me laisser secouer mollement par la voiture, de m'abandonner à la douceur bleue de l'atmosphère, qui me frôlait comme la mer frôle le bord d'un navire, et de regarder tranquillement les beaux marronniers épanouis, qui parfois s'amusaient à laisser prendre par le vent chaud et caressant quelques brins de fleurs que celui-ci soulevait ensuite doucement et faisait tourbillonner, avant d'en parsemer l'allée. Il faisait bon aspirer le printemps avec les yeux fermés, tout en se sentant balancé et emporté sans aucun effort; en vérité, lorsque dans la Freudenau la voiture s'arrêta devant l'entrée de l'hippodrome, j'éprouvai un regret. J'aurais préféré faire demi-tour pour continuer de me laisser bercer par cette molle journée de l'été commençant.

Mais il était déjà trop tard, la voiture avait fait halte devant le champ de courses. Un bruit sourd venait vers moi. J'entendais comme le grondement profond d'une mer, derrière les tribunes en gradins, sans que je visse en mouvement la foule d'où émanait cette rumeur concentrée ; je pensais aussitôt à Ostende, lorsqu'on monte de la ville basse les petites rues latérales qui conduisent à la promenade du littoral, tandis qu'on sent déjà le vent salin qui bruit vivement autour de vous et qu'on entend un mugissement sourd avant que le regard s'étende sur la large surface, grise d'écume, aux vagues retentissantes. On était au milieu d'une course ; entre moi et la pelouse s'étendait une vapeur colorée et sonore, secouée çà et là par une tempête intérieure, je veux dire la foule des spectateurs et des parieurs. Je ne pouvais pas voir la piste, mais, d'après le réflexe de l'excitation portée au plus haut point, je devinais le déroulement de chaque phase. Les cavaliers avaient sans doute pris le départ depuis un certain temps et leur peloton s'était dispersé, si bien que quelques-uns seulement luttaient à qui tiendrait la tête, car déjà du milieu de cette foule, qui vivait mystérieusement les mouvements de la course, invisibles pour moi, s'élevaient des cris et des appels véhéments. D'après la direction des têtes, je devinais le tournant auquel cavaliers et chevaux étaient à coup sûr maintenant arrivés sur l'ovale oblong du turf ; car de plus en plus anonyme, comme un seul cou tendu, tout ce chaos humain concentrait ses regards vers un point que je ne voyais pas ; de ce cou ainsi dressé sortait, en gargouillant, avec mille sons confus, une rumeur semblable au déferlement de la vague et dont le bouillonnement montait toujours ; et cette rumeur marine se prolongeait et s'enflait. Déjà elle remplissait tout l'espace, jusqu'au bleu firmament, qui, lui, restait indifférent. Je regardai quelques visages : ils étaient convulsés, les yeux figés et étincelants, les lèvres crispées, le menton tendu en avant avec avidité et les narines palpitant comme les naseaux d'un cheval. C'était, pour moi, à la fois un amusement et une horreur que de contempler de sang-froid ces hommes ivres et fous de passion. A côté de moi se tenait, debout sur un siège, un monsieur élégamment habillé, avec une bonne figure, mais qui, maintenant animé par un démon invisible, faisait rage et brandissait sa canne dans le vide, comme pour stimuler et faire avancer quelque chose ; tout son corps (tableau éminemment ridicule pour un spectateur) effectuait les mouvements de la course la plus rapide, comme s'il eût été campé sur des étriers. Ses talons basculaient sans arrêt sur son siège ; sa main droite semblait cravacher l'air et sa gauche froissait convulsivement une fiche blanche. Et les fiches de cette couleur flottaient, toujours plus nombreuses ; comme des sortes de seringues, elles déversaient leur bouillonnement au-dessus de ce flot gris agité par la tempête et parcouru de mille rumeurs. Sans doute que maintenant, au tournant, des chevaux devaient être tout près l'un de l'autre, car tout à coup la rumeur se concentra en deux, trois ou quatre noms, que des groupes criaient et répétaient, comme des mots d'ordre, en se démenant, et ces cris semblaient être comme un exutoire pour ces possédés.

Au milieu de cette fureur je restais froid comme un rocher dans la mer mugissante, et je suis encore aujourd'hui capable de dire exactement ce que j'éprouvais alors; d'abord, le ridicule de tous ces gestes grimaçants, un mépris ironique pour la vulgarité de ces manifestations, mais aussi autre chose que je ne m'avouais pas volontiers, à savoir une sourde envie de ressentir, moi aussi, une telle excitation, une telle ardeur passionnée et d'éprouver une intensité de vie analogue à celle dont témoignait un pareil fanatisme. Que faudrait-il, pensais-je, pour m'émouvoir de la sorte, pour m'enfiévrer au point que mon corps brûlât de cette façon et que ma voix jaillît malgré moi de ma bouche ? Je ne pouvais concevoir une somme d'argent dont la possession fût capable de m'enflammer ainsi, je ne pouvais imaginer une femme qui pût m'exciter pareillement ; rien, il n'y avait rien qui pût m'arracher à mon inertie, allumer en moi une ardeur semblable. Devant un pistolet soudain braqué sur lui, mon cœur, une seconde avant de s'arrêter pour toujours, ne battrait pas aussi sauvagement que celui de ces milliers de personnes assemblées autour de moi et qu'une poignée d'argent faisait vibrer à ce point.

Un cheval devait être tout près du poteau, car un nom sortait du tumulte, un cri unique, toujours plus perçant, poussé par des milliers de voix, pareil au son d'une corde tendue à l'extrême, pour expirer ensuite brusquement. La musique se mit à jouer et soudain la foule se désagrégea. C'était, en quelque sorte, la fin d'un round, une bataille venait d'être terminée et la tension qui avait régné jusqu'à présent se dissolvait en une agitation qui ne vibrait plus que faiblement. La masse qui un instant auparavant n'était qu'un brûlant faisceau de passions se divisait en une multitude d'individus isolés, qui couraient, riaient ou parlaient ; des figures paisibles reparaissaient derrière le masque de bacchante de l'excitation ; du chaos du jeu, qui pour quelques secondes avait fondu ces milliers de personnes en un seul lingot brûlant, surgissaient de nouveau des groupes qui se formaient et se séparaient, des hommes que je connaissais et qui me saluaient et des étrangers qui se dévisageaient et se considéraient avec une politesse froide. Les femmes s'examinaient réciproquement dans leurs toilettes neuves ; les hommes jetaient sur elles des regards pleins de désirs ; cette curiosité mondaine, la véritable occupation des gens qui ne savent que faire, commençait à se déployer, on se cherchait, on se comptait, on contrôlait la présence et l'élégance des gens. Déjà à peine sorti du vertige, tout ce monde ne savait plus si c'était cet entr'acte consacré à la promenade, ou bien le jeu lui-même qui était le but de la réunion.

J'allais et venais au milieu de cette tiède atmosphère ; je saluais par-ci, je répondais à un salut par-là ; je respirais avec plaisir (puisque c'était là le milieu dans lequel s'écoulait mon existence) cette vapeur de parfums et d'élégances qui flottait autour de ce pêle-mêle kaléidoscopique et avec plus de joie encore la légère brise qui, venue de là-bas, des profondeurs du Prater, de la forêt envahie par la chaleur estivale, jetait parfois ses ondes parmi tout ce monde et caressait la blanche mousseline des femmes comme par un jeu voluptueux. Quelques connaissances voulaient s'entretenir avec moi. Diane, la belle actrice, m'invitait d'un signe à me rendre dans sa loge, mais je n'allai vers personne. Aujourd'hui, parler avec un de ces mondains ne m'intéressait pas ; c'était pour moi un ennui de me voir moi-même dans leur miroir. Je voulais simplement goûter ce spectacle, l'animation pétillante et sensuelle qui passait dans cette heure d'exaltation (car, pour quelqu'un d'impassible, l'excitation d'autrui est une chose agréable). Quelques belles femmes passaient près de moi ; je regardais avec effronterie, mais sans aucun désir intérieur, leurs seins qui palpitaient à chaque pas sous la gaze mince et je souriais en moi-même de leur embarras, mi-pénible, mi-voluptueux, lorsqu'elles se voyaient si sensuellement évaluées et si insolemment déshabillées. En réalité, aucune d'elles ne m'attirait ; mais c'était pour moi une sorte de plaisir que de parader ainsi devant elles, de jouer avec l'idée — la leur — que je touchais leur corps, de sentir dans leurs yeux une vibration magnétique car, comme c'est le cas de tout homme qui reste froid intérieurement, ma meilleure jouissance érotique était de susciter chez les autres ardeur et trouble, au lieu de m'échauffer moi-même. Je préférais ressentir cette chaleur extérieure que la présence des femmes met autour de notre sensualité plutôt qu'une excitation véritable ; mon intérêt restait toujours froid et superficiel. Tel j'étais ce jour-là aussi dans ce lieu de promenade, captant un regard et le rendant aussitôt, avec la facilité d'un volant, jouissant sans m'attacher, examinant les femmes sans désir, rien que légèrement échauffé par la tiède volupté du jeu.

Mais cela aussi m'ennuya bientôt ; c'étaient toujours les mêmes personnes qui passaient devant moi ; je connaissais déjà par cœur leurs figures et leurs gestes. Un siège se trouvait près de là, je le pris. Tout autour, dans les groupes un nouveau mouvement tourbillonnant commença à se dessiner ; les passants se secouaient et se heurtaient pêle-mêle avec plus d'agitation. Il était évident qu'une nouvelle course allait commencer ; je ne m'en inquiétai pas, restant là assis mollement et comme plongé sous la couronne de fumée de ma cigarette qui montait en blanches ondulations vers le ciel où, de plus en plus pâle, elle disparaissait dans le bleu printanier, comme un petit nuage. C'est pendant cette minute-là que commença ce fait inouï, cet événement unique qui aujourd'hui encore commande ma vie. Je puis en indiquer l'heure exacte, car, par hasard, je venais de sortir ma montre, les aiguilles se croisaient et je les regardais, avec une curiosité faite d'indolence, se recouvrir pendant une seconde. Elles marquaient trois heures un quart et, comme je l'ai déjà dit, c'était le sept juin mil neuf cent treize. J'étais donc là, la cigarette à la main, les yeux posés sur le blanc cadran, entièrement absorbé dans cette contemplation à la fois puérile et ridicule, lorsque, tout derrière moi, j'entendis une femme rire vivement, de ce rire incisif et excité que j'aime chez les femmes, de ce rire qui jaillit tout chaud et comme effarouché des ardentes profondeurs de la sensualité. Malgré moi, je tournai la tête et j'allais regarder cette femme dont la bruyante sensualité venait frapper avec une telle impertinence mon insouciante songerie, comme une étincelante pierre blanche tombe dans un étang morne et bourbeux, mais je me retins : une étrange envie, comme j'en avais souvent, de jouer avec mon esprit, de faire une petite expérience inoffensive m'arrêta soudain. Je ne voulais pas encore voir ce qu'était cette femme qui riait ; j'éprouvais le besoin d'occuper d'abord, en une sorte de jouissance préalable, mon imagination avec elle, de me la représenter, de mettre autour de ce rire une figure, une bouche, une gorge, une nuque, une poitrine, toute une femme respirant la vie.

Il était évident qu'elle se trouvait immédiatement derrière moi ; le rire avait de nouveau fait place à la conversation. J'écoutais avec attention ; elle parlait avec un léger accent hongrois, très vite et avec volubilité, en déployant les voyelles, comme lorsqu'on chante. J'eus alors envie de me représenter la personne d'après ses paroles et d'accorder autant de richesse que possible à cette figure imaginaire. Je lui donnai des cheveux foncés, des yeux foncés, une bouche large aux contours sensuels, avec de fortes dents bien blanches, un tout petit nez étroit, mais des narines tendues et frémissantes. Je lui mis sur la joue gauche une mouche et dans la main une cravache, avec laquelle, tout en riant, elle se frappait légèrement la cuisse. Elle continuait toujours de parler et chacune de ses paroles ajoutait un nouveau détail à la figure que je concevais ainsi rapidement ; une étroite poitrine de jeune fille, une robe vert foncé, avec une broche en brillants placée obliquement, un chapeau clair avec une aigrette blanche. L'image devenait toujours plus nette et déjà cette femme inconnue, qui se tenait invisible derrrière mon dos, était représentée dans ma pupille comme sur une plaque photographique. Mais je ne voulais pas me retourner, je voulais intensifier encore ce jeu de mon imagination, un léger frisson de volupté se mêlait à mon audacieuse songerie ; je fermai les yeux, certain que, lorsque j'ouvrirais mes paupières et que je me tournerais vers elle, l'image que j'en avais conçue coïnciderait tout à fait avec la réalité.

A ce moment-là, elle s'avança. J'ouvris les yeux, mais ce fut une déception. Je m'étais complètement trompé ; tout en elle était différent de la représentation que je m'étais faite ; je ne sais quelle malignité avait voulu que ce fût même tout le contraire. Elle portait une robe blanche et non pas verte. Elle n'était pas svelte, mais forte, et elle avait de larges hanches ; nulle part, sur sa joue pleine, n'était posée la mouche que j'avais rêvée. Des cheveux non pas noirs mais d'un blond roux luisaient sous son chapeau en forme de casque ; aucune de mes caractéristiques ne s'accordait avec son aspect réel, mais cette femme était belle, d'une beauté excitante, bien que, blessé dans le fol orgueil de mes prétentions psychologiques, je me refusasse à le reconnaître. Je la regardai de haut, d'une façon presque hostile, mais même ma résistance sentait le puissant charme physique qui émanait de cette femme, ce qu'il y avait de sensualité provocante dans ses formes à la fois molles et fermes.

Elle se remit à rire, en découvrant ses dents blanches et unies, et je fus obligé de me dire que ce rire chaud et sensuel s'accordait très bien avec sa plantureuse personne. Tout en elle était excitant : la poitrine arrondie, le menton que le rire faisait saillir davantage, son regard tranchant, son nez arqué, la main qui appuyait son ombrelle contre le sol. Ici s'épanouissait l'élément féminin ; une force primitive, une séduction consciente et pénétrante, un fanal de volupté devenu chair. A côté d'elle il y avait un élégant officier, un peu fané, qui lui parlait avec insistance ; elle l'écoutait, souriait, riait, répondait, mais tout cela d'une façon accessoire, car pendant ce temps son regard se portait de tous les côtés, sur tout le monde, tandis que ses narines frémissaient ;

elle attirait à elle l'attention, le sourire et le regard de ceux qui passaient et, pour ainsi dire, de toute la gent masculine qui l'entourait. Ses yeux étaient sans cesse en mouvement ; tantôt ils cherchaient parmi les tribunes, pour rendre soudain un salut, joyeux d'avoir reconnu quelqu'un, et tantôt ils erraient soit à droite soit à gauche, cependant qu'elle écoutait toujours l'officier en souriant avec coquetterie. Il n'y avait que moi, qui, masqué par son compagnon, n'étais pas dans son champ visuel, que son regard n'eût pas encore effleuré. Cela me vexa, je me levai, elle ne me vit pas, je m'approchai d'elle et elle se mit à regarder de nouveau du côté des tribunes ; alors je m'avançai avec résolution, je saluai son compagnon en soulevant mon chapeau et j'offris à la dame mon siège. Elle me regarda étonnée. Une lueur de satisfaction passa dans ses yeux, sa lèvre s'infléchit en un sourire affable, puis elle me remercia très brièvement et prit la chaise sans s'y asseoir. Elle se borna à y appuyer mollement son bras charnu, découvert jusqu'au coude, et elle profita de l'attitude penchée de son corps pour faire valoir ses formes.

Le dépit que m'avait inspiré mon erreur psychologique était depuis longtemps oublié, je ne songeais plus qu'à jouer avec cette femme. Je me reculai un peu contre la paroi de la tribune pour pouvoir la regarder en toute liberté, sans me faire remarquer ; je me cambrai sur ma canne et mes yeux cherchèrent les siens ; elle s'en aperçut, se tourna légèrement vers mon lieu d'observation, mais de telle manière que ce mouvement paraissait tout accidentel ; elle ne se dérobait pas à mes regards, y répondait parfois, et, cependant, sans s'engager. Ses yeux tournaient sans cesse autour d'elle ; ils effleuraient tout sans rien étreindre : étais-je le seul sur qui ils fissent rayonner un noir sourire ou bien agissait-elle ainsi à l'égard de chacun ? Je ne pouvais pas m'en rendre compte et c'est cette incertitude qui m'irritait pendant les moments où son regard dirigeait vers moi ses rayons comme un feu à éclipses; il paraissait plein de promesses, seulement cette même pupille d'acier brillant répondait aussi sans aucun choix à tout autre regard qui se tournait vers elle, par amusement, à cause du plaisir que lui donnait ce jeu, mais sans pour cela négliger, ne fût-ce qu'une seconde, la conversation de son compagnon, à laquelle elle paraissait s'intéresser.

Il y avait dans ces sortes de parades passionnées quelque chose de très effronté, une virtuosité de coquetterie ou bien un débordement de sensualité.

Involontairement, j'avançai d'un pas : son insolence froide était passée en moi. Ce n'est plus dans les yeux que je la regardai, mais je détaillai son corps du haut en bas, en connaisseur ; mon regard la dévêtait tout à fait et je la sentais nue devant moi. Elle suivit mon regard sans être offensée le moins du monde, sourit du coin de la bouche dans la direction de l'officier qui parlait toujours, mais je remarquai que ce sourire savant était la réponse à mon investigation ; et, comme mes yeux s'arrêtaient sur son pied, qui dépassait un peu, petit et délicat, sa robe blanche, elle laissa glisser son regard avec nonchalance jusqu'au bas de sa robe, comme pour l'examiner. Puis, aussitôt après, comme par hasard, elle leva son pied et le plaça sur le premier barreau de la chaise que je lui avais offerte, de sorte que, à travers sa robe transparente, je lui voyais les bas jusqu'à la saignée du genou : mais en même temps le sourire qu'elle adressait à son compagnon semblait devenir quelque peu ironique ou malicieux. Elle jouait avec moi aussi froidement que moi avec elle et j'étais obligé, tout en la haïssant, d'admirer la technique raffinée de son audace, car, tandis qu'elle m'offrait avec une fausse dissimulation le charme de son corps, elle se laissait en même temps caresser par les murmures de son compagnon, se donnant et se reprenant à la fois, et dans les deux cas rien que par jeu. A vrai dire, j'étais irrité, car je détestais chez les autres cette sensualité froide, méchante et calculatrice, que je sentais (presque à la manière d'un inceste) semblable à ma propre insensibilité raffinée. Cependant, j'étais excité, peut-être par la haine plus que par le désir. Je m'avançai avec impertinence et mon regard l'assaillit brutalement. « Je te veux, bel animal », disait mon attitude non dissimulée et sans doute que mes lèvres avaient remué, car elle sourit avec un léger mépris en détournant la tête et en laissant retomber sa robe sur son pied découvert. Mais, un instant après, la noire pupille se remit à regarder de mon côté, tout étincelante, puis à m'éviter ; il était clair que sa froideur égalait la mienne, qu'elle était capable de me tenir tête, que tous deux nous jouions de sang-froid avec l'ardeur d'autrui, qui n'était qu'un feu imaginaire ; mais c'était là un beau spectacle et un jeu amusant à jouer au milieu d'une journée sans intérêt.

Soudain, sa figure se détendit. L'éclat fulgurant de ses yeux s'éteignit et un petit pli de mécontement se creusa autour de sa bouche, qui souriait encore. Je suivis la direction de son regard : un petit homme obèse, tout engoncé dans ses vêtements, accourait vers elle ; son visage et son front, qu'il essuyait nerveusement avec son mouchoir, étaient moites d'émotion. Son chapeau, que dans sa hâte il avait posé de biais sur sa tête, laissait voir une calvitie descendant très bas (malgré moi, je pensais que, s'il se découvrait, d'épaisses gouttes de sueur s'y formeraient, et l'homme me fut aussitôt antipathique). Dans sa main baguée, il tenait tout un paquet de tickets. L'état d'excitation dans lequel il se trouvait le faisait littéralement éclater et aussitôt, sans faire attention à sa femme, il parla à l'officier, en hongrois, d'une voix bruyante. Je reconnus tout de suite un fanatique du turf, quelque marchand de chevaux d'une classe supérieure, pour qui le jeu était la seule grande joie, le splendide succédané du sublime. Sa femme venait sans doute de lui faire quelque observation (on la voyait gênée par sa présence et troublée dans son assurance élémentaire), car il redressa son chapeau, puis il se mit à rire jovialement en la regardant et en lui frappant sur l'épaule avec une tendre bonhomie. Furieuse, elle fronça les sourcils, froissée par cette familiarité conjugale qui, en présence de l'officier et peut-être plus encore en la mienne, lui était pénible. Il sembla s'excuser, dit de nouveau en hongrois quelques paroles à l'officier, qui y répondait avec un complaisant sourire, mais ensuite il prit tendrement, et un peu comme un subalterne, le bras de sa femme ; je sentais qu'elle avait honte devant nous de cette intimité et son humiliation était pour moi une jouissance faite à la fois de raillerie et de désir. Mais déjà elle s'était ressaisie et, tandis qu'elle se pressait mollement contre le bras de son mari, elle laissait glisser vers moi un regard ironique qui signifiait : « Tu vois, c'est lui qui me possède et pas toi. » J'étais furieux et en même temps dégoûté. Vraiment, j'avais envie de lui tourner le dos, pour lui montrer que la femme d'un gros et vulgaire individu comme celui-là ne m'intéressait plus. Mais, malgré tout, la séduction était trop forte. Je restai.

A cette seconde retentit le strident signal du départ d'une nouvelle course ; tous ces gens qui étaient là en train de parler ou bien ternes et immobiles, soudain transformés, se mirent à courir de tous côtés dans un pêle-mêle imprévu, vers la barrière. Il me fallut en quelque sorte me faire violence pour ne pas me laisser entraîner, moi aussi, car je voulais justement, dans ce tumulte, rester près d'elle ; peut-être qu'alors s'offrirait l'occasion d'un regard décisif, d'un attouchement, de quelque impertinence que j'ignorais encore, et ainsi, au milieu de tout ce monde qui courait, je déployais toutes mes forces pour ne point la quitter. En ce moment son gros époux se hâtait de mon côté, sans doute pour avoir une bonne place à la tribune; projetés tous deux par une poussée s'exerçant en sens contraire, nous nous heurtâmes avec tant de violence que son chapeau, mal assuré, tomba par terre et que les tickets qu'il tenait en main allèrent parsemer le sol autour de nous, comme des papillons rouges, bleus, jaunes et blancs. Pendant un moment, il me dévisagea. J'allais m'excuser, mais je ne sais quel dessein de méchanceté me ferma les lèvres. Je le regardai froidement d'un air de provocation insolente et insultante. Ses yeux flamboyèrent une seconde avec incertitude, mais la rage qui s'y lisait se dissimula vite, et ils s'inclinèrent lâchement devant les miens. Avec une anxiété inoubliable et presque touchante, il me regarda une seconde bien en face, puis il se détourna, parut se souvenir de ses tickets et se baissa pour les ramasser, ainsi que son chapeau. Le visage rouge d'indignation, sa femme, qui avait quitté son bras, jetait sur moi des éclairs de colère : je sentais avec une sorte de volupté qu'elle aurait aimé me battre. Mais je restai tout à fait froid, regardant avec nonchalance et le sourire aux lèvres son obèse mari souffler et ramper à mes pieds. Dans cette position le col de sa chemise se tenait écarté de son cou, comme les plumes d'une poule qui se pavane ; un large bourrelet de graisse remontait sur sa nuque rouge et à chaque mouvement il haletait comme un asthmatique. Une pensée à la fois indécente et peu appétissante me vint à l'esprit : je me le représentais dans l'intimité conjugale. Rendu impertinent par cette pensée, je regardais en souriant et sans déguisement la colère de sa femme qu'elle avait peine à contenir.

Elle était là maintenant pâle et énervée, de moins en moins maîtresse d'elle-même ; enfin, je lui avais arraché un sentiment réel : une colère furieuse, de la haine ! J'aurais voulu que cette scène qui plaisait à ma malignité se prolongeât à l'infini ; avec une froide jouissance, je regardais l'homme se tourmenter pour retrouver ses tickets. J'avais une envie diabolique de chatouiller un peu du bout de ma canne cette masse de chair molle et mouvante ; je l'avoue, je ne me rappelle pas avoir jamais été possédé d'autant de méchanceté que dans ce moment de triomphe qu'était pour moi l'humiliation de cette femme au jeu impertinent.

Le malheureux parut enfin être rentré en possession de ses bouts de papier. A l'exception d'un seul toutefois, un bleu, qui s'était envolé plus loin, juste devant moi, et qu'il cherchait vainement de ses yeux de myope (son lorgnon était posé au bout de son nez, moite de sueur) en tournant sur lui-même. Poussé par un véritable esprit de malice, je voulus prolonger ses efforts ridicules ; avec une effronterie d'enfant, j'avançai vivement mon pied et le posai sur le ticket.

L'homme continuait à regarder à terre autour de lui, à compter et recompter ses morceaux de papier au milieu du tumulte déchaîné, lorsque sa femme, qui, dans une attitude pincée, évitait avec nervosité mon coup d'œil ironique, ne put plus refréner sa colère impatiente.

« Lajos ! » lui cria-t-elle d'un ton impérieux. Il tressaillit comme un cheval qui entend la trompette, regarda encore une fois le sol d'un air interrogateur (il me semblait que le ticket caché sous ma chaussure me chatouillait et j'avais de la peine à contenir un accès de rire), puis il se tourna avec docilité vers sa femme, qui, avec un certain empressement, fait d'ostentation, l'entraîna loin de moi, dans la foule toujours plus agitée.

Je n'éprouvai aucun désir de les suivre ni l'un ni l'autre. L'épisode était pour moi terminé. Le sentiment de cette tension érotique s'était dissipé d'une manière salutaire pour faire place à la sérénité. Toute excitation m'avait quitté, il ne m'était resté qu'une sorte de contentement insolent, d'orgueil, presque, d'avoir réussi mon coup de malice. Devant moi, les gens se pressaient ; l'agitation commençait à onduler et une seule vague terne et noire s'approchait de la barrière, mais je ne la regardais pas ; déjà je m'ennuyais et je pensais à rentrer. A peine eus-je, malgré moi, mis un pied en avant, que je remarquai le ticket bleu, collé au sol. Je le ramassai et je le tins en jouant entre mes doigts, ne sachant qu'en faire. J'eus la vague idée de le rendre à « Lajos », ce qui pouvait être un excellent prétexte pour faire la connaissance de sa femme ; mais je remarquai qu'elle ne m'intéressait plus, que l'ardeur passagère qu'avait fait naître en moi cette aventure s'était refroidie et que j'étais revenu à mon ancienne indifférence. Je n'attendais de la femme de « Lajos » rien de plus que cet échange de regards où se lisait à la fois la lutte et le désir ; ce petit gros était pour moi trop peu appétissant pour que j'eusse envie de partager avec lui n'importe quelle chose corporelle ; le moment du frisson était passé ; je n'éprouvais plus maintenant qu'une curiosité indolente, une détente bienfaisante.

Un siège était là, abandonné et isolé. Je m'y assis à mon aise et j'allumai une cigarette. Devant moi, la passion du jeu déferlait de nouveau, mais je n'écoutais même pas, les répétitions ne m'intéressaient pas. Je regardais avec nonchalance monter la fumée de ma cigarette et je pensais à Méran, à la Gilf-Promenade, où je me trouvais deux mois plus tôt et où j'avais vu le jaillissement de la cascade. C'était la même chose qu'ici. Il y avait aussi un bruissement bouillonnant qui ne donnait ni chaleur ni fraîcheur, et c'était là-bas aussi une rumeur dénuée de sens, au milieu du paysage d'un bleu muet. Mais maintenant la passion des joueurs avait atteint le crescendo ; de nouveau l'écume des ombrelles, des chapeaux, des mouchoirs s'agita au-dessus de ce noir déferlement humain ; de nouveau, les voix se confondirent en un son aigu, un cri vibrant (mais cette fois-ci d'une autre tonalité) sortit de la bouche géante de la foule.

J'entendis mille, dix mille voix crier avec allégresse ou désespoir, sur un ton perçant ou extatique un nom, un seul : « Cressy ! Cressy ! Cressy ! » Et ensuite, telle une corde trop tendue, ce cri se brisa soudain (comme la répétition rend monotone même la passion !) La musique se mit à jouer, la foule se dispersa. Des écriteaux furent hissés en l'air avec les noms des vainqueurs. Sans le vouloir je regardai dans leur direction. Je vis d'abord briller un sept. Machinalement, je jetai les yeux sur le ticket bleu que j'avais oublié entre mes doigts. Ici aussi, il y avait un sept.

Malgré moi, je fus obligé de rire, le ticket était gagnant. Ce bon Lajos avait bien choisi son cheval. Ainsi, par ma malignité, j'avais même fait perdre de l'argent au gros mari : mon humeur impertinente reprit aussitôt possession de moi. Maintenant, cela m'intéressait de savoir de quelle somme mon intervention jalouse l'avait dépouillé. J'examinai pour la première fois avec attention le bout de papier. C'était un ticket de vingt couronnes et Lajos avait joué « gagnant » ; le rapport était sans doute important. Sans plus réfléchir, ne faisant qu'obéir au chatouillement de la curiosité, je me laissai entraîner par la foule empressée dans la direction des caisses. Je fus serré dans une queue quelconque; je présentai le ticket et aussitôt deux mains osseuses et rapides (derrière le guichet, je ne voyais pas de visage) me tendirent sur le marbre neuf billets de vingt couronnes. A la seconde où l'argent, de l'argent véritable, des billets bleus, me fut donné, le rire s'arrêta dans ma gorge ; j'éprouvai aussitôt un sentiment désagréable; je reculai mes mains pour ne pas toucher cet argent étranger. J'aurais bien voulu laisser les billets, mais derrière moi les gens se pressaient, impatients de toucher leur gain. Aussi ne me resta-t-il plus qu'à les prendre — ce que je fis du bout des doigts, comme s'il s'agissait de quelque chose de répugnant ; ils me faisaient penser à des flammes bleues qui me brûlaient la main, qu'inconsciemment j'écartais de moi, comme si cette main qui avait pris l'argent ne faisait pas partie de ma personne. Aussitôt je me rendis compte de la fatalité de cette situation. Sans que je le voulusse, une simple plaisanterie avait abouti à une chose que n'aurait pas dû se permettre un honnête homme, un gentleman, et j'hésitais à prononcer en moi-même le véritable nom que cela méritait. Car ce n'était pas que de l'argent qui ne m'appartenait pas, mais aussi de l'argent obtenu par ruse, c'est-à-dire volé.

Autour de moi les voix murmuraient et bourdonnaient, les gens se heurtaient et se bousculaient, venant des caisses ou y allant. J'étais toujours immobile, la main écartée de mon corps. Que devais-je faire ? Je pensai d'abord à la solution la plus naturelle : me mettre à la recherche du véritable gagnant, m'excuser et lui rendre l'argent ; mais ce n'était pas possible. Je songeai aussi à céder à l'instinct qui agitait mes doigts, à jeter ou à détruire les billets de banque; mais cela, au milieu de cette foule, eût été remarqué et trouvé suspect.

Pourtant, je ne voulais à aucun prix garder sur moi cet argent, ni même le mettre provisoirement dans mon portefeuille pour ensuite le donner à quelqu'un. Le sentiment de la propreté morale qui, depuis mon enfance, était aussi naturel chez moi que l'habitude d'avoir du linge immaculé, avait horreur de tout contact, aussi superficiel qu'il fût, avec ces billets. « Loin de moi cet argent; loin de moi, disais-je, en proie à une sorte de fièvre, oui, bien loin, n'importe où! » Machinalement, je regardai à droite et à gauche d'un air inquiet, pour trouver quelque endroit où j'aurais pu le jeter sans être vu; je remarquai alors que les gens se pressaient de nouveau autour des guichets, mais cette fois-ci en tenant à la main des billets de banque, et cette pensée fut pour moi une délivrance : rendre l'argent au hasard malin qui me l'avait donné, le rejeter dans le gouffre avide qui maintenant avalait avec frénésie les nouveaux enjeux, pièces d'argent et billets de banque. Oui, c'était là la solution, le véritable moyen de libérer ma conscience.

Je me frayai un passage aussi vite que je pus au milieu des parieurs. Il n'y avait plus devant moi que deux hommes et déjà le premier était arrivé au totalisateur, lorsque je me rendis compte que je ne connaissais le nom d'aucun cheval.

Je prêtai une oreille fiévreuse à ce qu'on disait autour de moi. « Jouez-vous Ravachol? » demanda quelqu'un. — « Bien entendu », lui répondit son compagnon. — « Ne croyez-vous pas que Teddy ait aussi des chances? » — « Teddy? Aucune chance. Il n'a rien valu dans sa course de début. C'était un bluff. » Je buvais ces paroles, comme quelqu'un qui meurt de soif.

Donc Teddy était mauvais. A coup sûr, Teddy ne gagnerait pas. Aussitôt je résolus de miser sur lui. Je tendis l'argent, je pris Teddy gagnant, lui dont je venais d'entendre le nom pour la première fois. Une main m'allongea les tickets. Et j'eus entre les doigts neuf bouts de papier blanc et rouge. C'était toujours pour moi un sentiment pénible, mais, malgré tout, l'impression que j'éprouvais était moins humiliante qu'au toucher des billets de banque crissants.

Je me sentis allégé, presque insouciant. Maintenant, j'étais débarrassé de cet argent. Ce que cette aventure avait de désagréable n'existait plus, l'affaire était redevenue une plaisanterie. J'allai me rasseoir, j'allumai une cigarette et j'en exhalai avec indolence la fumée devant moi. Mais cela ne dura pas longtemps; je me levai, me mis à marcher et me rassis. Chose singulière, mon heureuse songerie était finie. Je ne sais quelle nervosité s'était insinuée dans mes membres. D'abord je pensai que c'était là un sentiment de malaise dû à l'idée que je pouvais rencontrer Lajos et sa femme parmi la multitude de gens qui passaient ; mais auraient-ils pu deviner que ces nouveaux tickets leur appartenaient ? De même l'agitation des gens ne me troublait pas du tout; au contraire, je les observais avec placidité pour voir si de nouveau ils n'allaient pas s'élancer vers les barrières; je constatai même que je me levais sans cesse pour regarder le drapeau qui donne le signal du départ. Ce que j'éprouvais, c'était donc de l'impatience, une sorte de fièvre intérieure saccadée, causée par l'attente, car je brûlais d'envie que la course commençât aussitôt pour que cette malencontreuse affaire fût réglée pour toujours.

Un jeune homme passa devant moi en courant ; il tenait à la main un journal de courses ; je l'arrêtai, j'achetai le programme et je me mis à chercher, parmi une foule d'expressions et de « tuyaux » écrits en un jargon étrange et que je ne comprenais pas, jusqu'à ce qu'enfin je découvrisse Teddy, le nom de son jockey, le propriétaire de l'écurie, et ses couleurs : blanc et rouge. Mais pourquoi cela m'intéressait-il tant? Je froissai d'un geste mécontent le journal et le jetai; puis je me levai, pour me rasseoir encore. Soudain une bouffée de chaleur m'envahit; je dus m'éponger le front et mon col m'oppressait. La course ne commençait toujours pas.

Enfin la cloche sonna; les gens se précipitèrent et, dans cette seconde-là, je sentis avec horreur que, moi aussi, cette sonnerie, tel un réveille-matin, m'arrachait en sursaut à je ne sais quel sommeil. Je me levai si brusquement que mon siège se renversa et je m'élançai — oui, je courais — vers les barrières, au milieu de la foule, tenant les tickets bien serrés entre mes doigts, et comme pris d'une peur furieuse d'arriver trop tard, de manquer quelque chose d'une importance capitale. En écartant brutalement les gens, j'atteignis vite la première barrière et je tirai à moi avec sans-gêne un siège qu'une dame voulait prendre. Je me rendis aussitôt compte de mon manque de tact et de ma sorte de rage devant cette dame étonnée; c'était une dame du monde que je connaissais très bien, dont je remarquai les sourcils froncés par la colère; mais à la fois par honte et par arrogance, je détournai froidement mon regard de son visage et je bondis sur le siège pour voir le champ de courses.

Là-bas, au loin, dans la verdure, il y avait, à l'endroit du départ, une petite troupe pressée de chevaux retenus avec peine dans l'alignement par les minuscules jockeys qui avaient l'air de polichinelles bariolés. Vite je cherchai à distinguer le mien, mais mon œil manquait d'expérience, et devant mes regards tout cela papillotait d'une manière si fiévreuse et si étrange que parmi les taches de couleur je fus incapable de reconnaître la casaque rouge et blanche. A ce moment-là la cloche sonna pour la seconde fois et, semblables à sept flèches colorées qu'eût décochées un arc, les chevaux s'élancèrent sur la piste verte. Ce devait être un spectacle admirable du point de vue esthétique que de regarder de sang-froid comment ces bêtes sveltes galopaient avec rythme et, touchant à peine le sol, faisaient, pour ainsi dire, ressort sur le gazon; mais je ne remarquais rien de tout cela, m'efforçant avec désespoir de reconnaître mon cheval, mon jockey, et je me maudissais de n'avoir pas pris de lorgnette. J'avais beau me courber et m'avancer, je ne voyais que quatre ou cinq espèces d'insectes bariolés, mêlés en un peloton volant; je m'apercevais toutefois que peu à peu la forme de ce peloton se modifiait, que cette légère troupe s'allongeait, au tournant, comme une sorte de coin, tandis que se dessinait une tête et que, à l'arrière, une partie de cet essaim commençait déjà à se détacher. La course devenait palpitante : trois ou quatre chevaux, que le galop semblait écarteler, étaient collés l'un à l'autre, comme des bandes de papier colorié; tantôt l'un, tantôt l'autre, prenait brusquement un peu d'avance, et, malgré moi, tout mon corps s'étirait, comme si ce mouvement d'imitation, cette façon passionnée de déployer toute l'élasticité de l'être humain, pouvait accroître et précipiter la vitesse des chevaux.

Tout autour de moi, l'émotion augmentait. Quelques personnes expérimentées avaient sans doute déjà discerné les couleurs au tournant, car à présent des noms jaillissaient de ce tumulte confus comme de brusques fusées. A côté de moi, quelqu'un, voyant une tête de cheval prendre de l'avance, agitait les mains avec frénésie et lançait, en trépignant, d'une voix criarde, déplaisante et triomphante: « Ravachol! Ravachol! » Je vis en effet luire la couleur bleue du jockey de ce cheval et une rage me prit de constater que ce n'était pas le mien qui gagnait. Les « Ravachol! Ravachol! » hurlés par cet individu antipathique, placé près de moi, m'étaient de plus en plus insupportables; j'étais en proie à une véritable fureur et j'aurais aimé enfoncer mon poing dans le trou noir et béant de sa bouche qui continuait à crier. Je frémissais de colère, j'avais la fièvre; à chaque instant, je sentais que j'étais capable de commettre une folie. Mais voici qu'un autre cheval s'accrochait presque au premier. Peut-être était-ce Teddy, qui sait ? Et cet espoir m'enflammait de nouveau.

En effet, il me semblait que le bras qui maintenant se dressait au-dessus de la selle et cinglait la croupe du cheval était vêtu de rouge : ce pouvait être lui, il fallait que ce fût lui, il le fallait! Mais pourquoi ne le poussait-il pas davantage, le coquin? Encore un coup de cravache! Encore un coup! A présent, il était tout près de l'autre; il n'y avait plus entre eux qu'un mètre à peine. Pourquoi Ravachol, Ravachol? Non, pas Ravachol! pas Ravachol ! mais Teddy ! Teddy ! En avant, Teddy! En avant!

Soudain je me reculai, violemment. Que se passait-il, qu'était-ce que cela ? Qui criait ainsi ? Qui clamait de la sorte : « Teddy ! Teddy? » c'était moi-même et, dans ma passion, j'eus peur de moi. Je voulais me contenir, me maîtriser; au milieu de ma fièvre, une honte soudaine me tourmenta, mais je ne pus détourner mes regards, car, là-bas, les deux chevaux étaient presque collés l'un à l'autre, et nul doute que c'était Teddy qui était accroché à Ravachol, à ce maudit Ravachol, que je haïssais avec une ardeur frénétique; tout autour de moi retentissait à présent le son de nombreuses voix, criant âprement : « Teddy ! Teddy! » Et ce cri me replongea au sein de ma passion, moi qui venais d'y échapper pendant une seconde de sang-froid. Il devait gagner, il fallait qu'il gagnât! Et en vérité voici que le cheval qui menait le train fut dépassé par la tête d'un autre, d'un empan seulement, puis de deux; maintenant on voyait déjà le cou tout entier. A ce moment-là la cloche sonna et ce fut l'explosion d'un seul cri, fait d'allégresse, de désespoir et de colère. Pendant une seconde, le nom désiré remplit le ciel bleu jusqu'à la voûte. Puis ce fut le calme, et l'on entendit jouer quelque part une musique.

La peau moite et brûlante à la fois, le cœur battant, je descendis de mon siège ; je fus obligé de m'asseoir un instant, tellement mon enthousiasme m'avait bouleversé. J'étais en proie à une extase comme je n'en avais jamais connu, à une joie insensée en voyant que le hasard avait obéi si servilement à mon défi. En vain je cherchai à me prouver que c'était malgré moi que ce cheval venait de gagner et que mon désir eût été de perdre. Mais je ne me croyais pas moi-même et déjà je sentais une traction cruelle passer dans mes membres, j'étais attiré magiquement vers un lieu et je savais quel était ce lieu. Je voulais voir la victoire, la saisir, la palper, toucher de l'argent, beaucoup d'argent, sentir dans mes doigts et jusque dans mes nerfs le crissement des billets bleus. Une envie maligne, étrange, s'était emparée de moi et aucune honte ne m'empêchait d'y céder. A peine me fus-je levé que je me précipitai vers la caisse, en jouant des coudes, en bousculant les gens, rien que pour voir de mes yeux l'argent, cet argent. « Brute! », murmura derrière moi un de ceux que j'avais ainsi écartés; je l'entendis, mais je ne pensai pas à lui demander raison de cette parole, car j'étais en proie à une impatience maladive et incompréhensible. Enfin, ce fut mon tour; mes mains saisirent avidement un paquet bleu de billets de banque. Je les comptai, frémissant et brûlant d'enthousiasme. Il y avait six cent quarante couronnes.

Je les serrai contre moi avec nervosité. Ma première pensée fut de continuer à jouer, pour gagner davantage, pour gagner beaucoup plus ; où était donc mon journal de courses? Ah! je l'avais jeté, dans mon agitation. Je regardai autour de moi pour en acheter un autre, alors je remarquai (ce qui m'effraya d'une façon indicible) que, soudain, tout le monde se dispersait à mes côtés, que les gens se dirigeaient vers la sortie, que les guichets se fermaient et que le drapeau ne flottait plus. C'était la fin des paris. La dernière course venait d'avoir lieu. Je restai là immobile pendant une seconde. Puis la colère me prit, comme si j'eusse été victime d'une injustice. Je ne pouvais admettre que tout fût fini, maintenant que mes nerfs étaient tendus et frémissants et que mon sang coulait en moi avec une chaleur ignorée depuis des années. Mais nourrir un espoir trompeur en souhaitant qu'il n'y eût là qu'une erreur ne servait à rien, car le flot bariolé de la foule s'écoulait de plus en plus vite et déjà brillait la verdure du gazon, que ne foulaient plus que quelques rares attardés. Peu à peu je sentis le ridicule de mon attitude à vouloir rester là à attendre et je gagnai la porte de sortie. Un employé s'avança à ma rencontre la casquette à la main, je lui donnai le numéro de ma voiture. Il appela en faisant de ses mains rapprochées un porte-voix et aussitôt les chevaux arrivèrent en claquant des sabots. Je dis au cocher de descendre lentement la grande allée, car maintenant que mon agitation commençait à s'apaiser agréablement, j'éprouvais le voluptueux désir de revivre en pensée toute la scène.

A ce moment-là, une voiture passa devant la mienne; involontairement, je regardai dans sa direction, mais aussitôt mes yeux s'en détournèrent. C'était le couple Lajos. Ils ne m'avaient pas remarqué. Cependant je fus pris aussitôt d'une espèce d'oppression, comme si j'eusse été attrapé en train de voler. Et j'aurais bien voulu crier au cocher de fouetter ses chevaux pour quitter aussi vite que possible le voisinage de ces gens-là.

Le fiacre glissait mollement sur ses roues caoutchoutées, parmi la multitude des autres voitures, qui semblaient voguer comme des bateaux de fleurs, avec leur cargaison bariolée d'élégances féminines, le long des rives vertes de l'allée des marronniers. L'atmosphère était douce et moelleuse, parfois une légère buée annonciatrice de la prime fraîcheur du soir flottait à travers la poussière. Mais l'agréable rêverie d'auparavant ne revint pas : la vue de l'individu escroqué par moi m'avait péniblement remué. Tel un courant d'air froid qui passe à travers une jointure, elle avait glacé mon enthousiasme. Je repassai, à tête reposée, toute la scène et je ne me comprenais plus. Moi, je m'étais, sans besoin, approprié l'argent d'autrui; je l'avais même mis dans mon portefeuille avec une joie cupide et une jouissance qui rendaient impossible toute excuse. Moi, qui, une heure plus tôt, étais encore un homme correct et sans tache, j'avais volé, j'étais un voleur et, comme pour m'effrayer moi-même, je prononçais mon accusation à mi-voix, tandis que la voiture trottait doucement et que j'obéissais inconsciemment au rythme du sabot des chevaux : « Voleur ! Voleur ! Voleur ! Voleur ! »

Comment traduire ce qui se passa ensuite? Ce fut une chose si inexplicable, si étrange, et pourtant je sais que c'est la réalité même. Chaque seconde vécue par ma sensibilité, chaque oscillation de ma pensée en ce moment-là revivent dans mon esprit avec une netteté presque surnaturelle, comme ce n'est le cas pour aucun autre événement de mes trente-six années d'existence. Cependant, j'ose à peine exprimer la stupéfiante volte-face qui se produisit en moi — je ne sais même pas s'il existe un écrivain, un psychologue capable d'en donner une description logique — et je ne peux qu'enregistrer cette suite d'idées, en reproduisant avec fidélité leur jaillissement inattendu. Donc je me disais à moi-même : « Voleur! Voleur! Voleur! » Puis vint un moment tout à fait singulier, un moment où, semblait-il, il n'y avait que le vide, un moment où rien ne se passa, où je ne faisais (ah! comme il est difficile de dire cela) qu'écouter — qu'écouter ma vie intérieure. Je m'étais cité moi-même devant le tribunal, je m'étais accusé, et c'était maintenant à l'inculpé de répondre au juge. J'écoutai donc... il ne se passa rien du tout. Le coup de fouet du mot « voleur », qui, à ce que j'escomptais, aurait dû m'effrayer et puis me plonger dans une honte et une contrition sans nom, n'éveilla rien en moi. J'attendis avec patience pendant quelques minutes, puis je me penchai, en quelque sorte, encore plus près sur moi-même (car je sentais trop bien que sous ce silence arrogant quelque chose remuait) et j'écoutai, avec une fiévreuse tension, l'écho absent, le cri de dégoût, d'indignation, de désespoir qui, je le pensais, devait suivre fatalement cette auto-accusation; de nouveau, il ne se passa rien. Rien ne répondait. Encore une fois, je m'appelais : « Voleur ! Voleur ! » et à présent presque à haute voix, pour réveiller enfin ma conscience sourde et paralysée. Pas de réponse. Et soudain (dans la fulguration d'un éclair de conscience, comme si tout à coup une allumette eût brillé au-dessus de la profondeur crépusculaire de mon moi), je reconnus que je voulais simplement avoir honte, mais qu'en réalité je n'avais pas honte, que même j'éprouvais une sorte de fierté secrète et, qui plus est, de bonheur d'avoir accompli cet acte de folie.

Comment cela était-il possible? Je faisais tous mes efforts, dans l'horreur que j'avais maintenant de moi-même, pour repousser cette constatation inattendue, mais mon sentiment était trop véhément et trop puissant pour que je pusse l'écarter. Non, ce qui bouillonnait ainsi dans mon sang, ce n'était pas de la honte, de l'indignation, un dégoût de moi-même; c'était de la joie, une sorte d'ivresse qui flambait en moi et au-dessus de laquelle étincelaient les flammes claires et ondoyantes de l'orgueil. Car je sentais que dans ces minutes-là j'avais pour la première fois depuis des années réellement vécu, que ma sensibilité avait été simplement paralysée et n'était pas encore morte, que quelque part, sous les sables superficiels de mon indifférence, coulaient encore les sources ardentes de la passion et que, touchées par la baguette magique du hasard, elles venaient de jaillir toutes vives et d'envahir mon cœur.

Ainsi donc, en moi aussi, dans cet atome palpitant d'univers que j'étais, brûlait encore ce germe volcanique de toute existence terrestre qui parfois s'épanouit sous la poussée tourbillonnante du désir. Moi aussi, je vivais, j'étais vivant, j'étais un être humain, avec des envies mauvaises et pleines d'ardeur.

Le déferlement de cette passion venait d'ouvrir avec violence une porte de mon être; un abîme venait de se creuser en moi; avec volupté, je regardais fixement cet inconnu qui était en moi et qui à la fois m'effrayait et me rendait heureux; lentement (tandis que la voiture traînait avec nonchalance mon corps à travers le monde de la société bourgeoise), je descendais degré par degré dans l'abîme d'humanité qui s'était ouvert en moi, seul dans cette marche silencieuse et dominé seulement par le vif et haut flambeau de ma conscience soudain embrasée de lumière. Et, tandis que mille personnes me frôlaient en riant et bavardant, je m'occupais à découvrir dans mon intérieur le moi que j'avais gaspillé, je tâtais le contenu de mes années passées dans le couloir magique de mon esprit.

Des choses tout à fait révolues surgissaient tout à coup sur le miroir poussiéreux et terni de mon existence; je me rappelais, une fois déjà, étant écolier, avoir pris un canif à un camarade et avoir contemplé avec la même joie diabolique la façon dont il le cherchait partout en interrogeant tout le monde et en se mettant en quatre pour le retrouver. Je compris soudain le mystère orageux de maintes heures sexuelles que j'avais traversées ; je compris que ma passion avait été simplement contenue et foulée aux pieds par le respect stupide des conventions sociales, par l'idéal impérieux du gentleman, mais que, en moi aussi (seulement, c'était dans la profondeur, une profondeur plus grande que d'habitude, par des sources et des canaux ensevelis) les flots ardents de la vie coulaient, comme chez tout le monde, Oh! c'était bien vrai que j'avais vécu sans oser vivre et que je m'étais dissimulé et caché à moi-même; mais, à présent, cette force refoulée s'était fait jour et la vie, cette vie riche et puissante avait pris possession de mon être. Maintenant je savais que j'appartenais encore au monde des vivants; avec cette surprise heureuse de la femme qui, pour la première fois, sent l'enfant remuer en elle, je sentais (comment m'exprimer autrement?) la réalité germer en moi, la vie vraie et sans masque; je sentais (j'ai presque honte d'employer ce mot-là) refleurir en moi le vieil homme, ma défunte existence ; en mes veines roulait un sang rouge et agité, je voyais mûrir en mon être des fruits inconnus de douceur et d'amertume. Le miracle de Tannhäuser s'était renouvelé en moi dans la brillante lumière d'un champ de courses, parmi le tumulte de milliers d'oisifs; j'avais retrouvé ma sensibilité et la branche desséchée reverdissait et se couvrait de bourgeons.

D'une voiture qui passait à côté de la mienne, un monsieur me salua et (je n'avais sans doute pas aperçu son premier salut), m'appela par mon nom. J'eus un tressaillement de mauvaise humeur, mécontent d'être ainsi troublé dans cet état si suave d'effusion intérieure, dans cet état de rêverie la plus profonde à laquelle je me fusse jamais abandonné. Mais quand j'eus reconnu la personne qui me saluait, je me trouvai comme éperdu; c'était mon ami Alphonse, un bon camarade d'école devenu procureur impérial. Brusquement, la pensée suivante me fit trembler : « Cet homme qui te salue d'une façon si cordiale a maintenant un droit sur toi. S'il savait ton méfait, il te ferait mettre la main au collet. S'il te connaissait, toi et ton acte, son devoir serait de t'arracher de cette voiture, de t'éloigner du confort de ton existence bourgeoise et de t'envoyer passer quelque temps derrière les fenêtres grillagées d'une geôle obscure, avec le rebut de la société, avec d'autres voleurs que seul le fouet de la nécessité a poussés dans leurs crasseuses cellules. »

Mais le frisson de la peur ne fit trembler ma main qu'un instant; il n'arrêta qu'une minute les battements de mon cœur; puis cette pensée fit place, elle aussi, à un chaud sentiment, à une fierté insolente et fantastique, qui, consciente d'elle-même et presque avec ironie, toisait les autres humains. Comme le doux sourire de camaraderie avec lequel vous me saluez en égal se glacerait vite au coin de vos lèvres, si vous vous doutiez de ce que je suis, me disais-je! D'une main méprisante et indignée, vous repousseriez mon salut, comme une éclaboussure. Mais, avant que vous me répudiiez, je vous ai déjà répudié moi-même. Cet après-midi, je me suis précipité hors de votre monde froid et pétrifié, où je n'étais qu'une roue, une roue fonctionnant en silence dans cette grande machine dont le mécanisme est froidement réglé et qui tourne avec vanité autour d'elle-même; je suis descendu dans un abîme inconnu, mais dans cette heure unique je me suis senti plus vivant que parmi vous pendant des années, qui étaient semblables à la mort. Je ne suis plus des vôtres, je ne vous appartiens plus, je suis à présent quelque part, hors de votre sphère, que ce soit dans un gouffre ou sur une hauteur, mais ce n'est plus du tout dans l'ensablement de votre bien-être platement bourgeois. J'ai pour la première fois éprouvé tout ce qui existe chez les hommes en fait de désirs bons ou mauvais; mais jamais vous ne saurez où je suis allé; plus jamais vous ne me connaîtrez. Pauvres créatures, que savez-vous de mon secret?

Comment pourrais-je dire ce que je ressentais, alors que, gentleman à la mise élégante, je passais parmi les files de voitures, salué et saluant, le visage froidement compassé? Car, tandis que mon masque, c'est-à-dire l'homme d'autrefois, l'homme extérieur, reconnaissait et remarquait encore des figures, retentissait en moi une musique si vertigineuse que j'étais obligé de me contraindre pour ne rien laisser échapper de ce bouillonnement intérieur. J'en avais à un tel point le sentiment que j'en éprouvais une douleur physique, que, comme quelqu'un qui étouffe, je portais la main à ma poitrine, sous laquelle le cœur battait douloureusement. Mais, douleur, joie, effroi, horreur ou regret, je ne ressentais rien de tout cela d'une façon isolée ou séparée ; tout se confondait; je sentais simplement que je vivais, que je respirais et que ma vie était frémissante. Et cette simplicité élémentaire, ce sentiment primitif que je n'avais pas connu durant des années m'enivrait. Jamais, même pas une seconde au cours de mes trente-six ans, je n'avais ressenti en moi l'extase de la vie autant que dans les oscillations de cette heure-là.

La voiture stoppa avec une légère secousse; le cocher s'était tourné sur son siège et me demandait si je désirais rentrer. Je sortis de mon agitation et je regardai devant moi dans l'allée. Avec surprise je constatai combien avait duré mon rêve, à quel point mon ivresse m'avait fait oublier les heures : la nuit était tombée; quelque chose de doux flottait à la cime des arbres, les marronniers commençaient à exhaler dans la fraîcheur leur parfum du soir et derrière le haut des branches apparaissait déjà l'éclat argenté et voilé de la lune. C'était assez ; la promenade avait assez duré! Ah! non, maintenant surtout, je ne devais pas rentrer chez moi, retourner dans mon monde accoutumé!

Il fallut payer le cocher. Lorsque je pris mon portefeuille et que je comptai les billets, je ressentis comme un léger coup électrique de la pointe à l'articulation des doigts : il devait donc y avoir encore en moi quelque chose du vieil homme qui avait honte. La conscience mourante de l'homme du monde tressaillait encore; puis de nouveau ma main fouilla avec une entière sérénité dans les billets volés et ma joie me rendit généreux. Le cocher me remercia d'une manière si expansive que je fus obligé de sourire : si tu savais, pensai-je ! Les chevaux se mirent à tirer et la voiture démarra. Je la regardai, comme d'un navire on jette une dernière fois les yeux sur un rivage où l'on a été heureux.

Pendant un instant, je restai ainsi rêveur et indécis au milieu de la foule murmurante, riante et inondée de musique : il pouvait être à peu près sept heures ; malgré moi, j'obliquai vers le Sachergarten, où j'avais l'habitude de dîner en société, chaque fois que je faisais une promenade au Prater, à proximité duquel le fiacre m'avait déposé, sans doute avec intention. Mais à peine eus-je touché la poignée de la grille du restaurant élégant que quelque chose m'arrêta : non, je ne voulais pas encore revenir dans mon milieu, je ne voulais pas que disparût si vite dans une conversation insignifiante cette merveilleuse fermentation qui remplissait secrètement mon être, je ne voulais pas encore renoncer à la magie étincelante de l'aventure à laquelle je me sentais enchaîné.

Une musique sourde et confuse venait de

quelque part; sans réfléchir, j'allai dans sa direction, car ce jour-là tout m'attirait; c'était une volupté de m'abandonner au hasard et cette façon indolente de me laisser porter par une foule aux molles ondulations avait pour moi un charme fantastique. Mon sang bouillonnait au milieu de l'agitation chaude et bruyante de cette épaisse masse humaine : j'étais stimulé et excité, tous mes sens étaient rendus plus vivants par cette odeur âcre et lourde, où il y avait l'haleine des hommes, de la poussière, de la sueur et du tabac. Car ce qui, naguère et même hier encore, me répugnait comme étant trivial, commun et plébéien, tout ce que l'homme raffiné qui était en moi avait évité avec orgueil sa vie durant m'attirait magiquement comme si, pour la première fois, je rencontrais dans l'humanité, dans l'existence instinctive et vulgaire, une affinité avec moi-même. Ici, parmi tous ces gens de basse condition je me sentais à mon aise, d'une manière qui m'était tout à fait inexplicable; j'aspirais avec avidité l'âcreté de l'atmosphère; il m'était agréable d'être ainsi poussé et pressé au milieu d'une masse compacte et j'attendais avec une curiosité voluptueuse de savoir où, dans mon absence de volonté, j'allais être transporté. Les sons et le fracas des tschinellen et de la musique des instruments en fer-blanc du « Prater-aux-Saucisses » étaient de plus en plus rapprochés; les orchestrions dévidaient d'une façon fanatiquement monotone de rudes polkas et des valses bruyantes. Dans l'intervalle claquaient des coups sourds venant des baraques, fusaient des éclats de rire, retentissaient des cris d'ivresse et maintenant je voyais déjà tourner entre les arbres les carrousels de mon enfance avec leurs folles lumières. Je restai là au milieu de la place, me laissant envahir par tout ce tumulte, qui inondait à la fois mes yeux et mes oreilles : ces cascades de bruit, ce pêle-mêle infernal me faisaient du bien, car dans ce tourbillonnement il y avait quelque chose qui engourdissait ma fermentation intérieure.

Je regardais les servantes, aux robes soulevées, se faire lancer vers le ciel par les balançoires, en poussant des cris perçants de plaisir qui paraissaient sortir de leur sexe ; des costauds assèner, en riant, de lourds coups de marteau sur les dynamomètres; des crieurs aux voix rauques et aux mines simiesques voguer, en lançant des appels, au-dessus du bruit des orchestrations ; je regardais toute cette agitation se mêler aux mille rumeurs de la foule, toujours en mouvement, qu'enivraient la musique populaire, le papillotement de la lumière et la chaude joie de cette réunion.

Depuis que mon être avait pris conscience de lui-même, je sentais tout à coup la vie des autres ; je comprenais l'ardeur sauvage de cette ville aux millions d'habitants qui se donnait librement carrière dans ces quelques heures du dimanche, après avoir été contenue toute la semaine, qui trouvait une jouissance sourde et animale, mais, somme toute, saine et instinctive dans les excitations issues de sa propre plénitude. Et, peu à peu, en me frottant ainsi à la multitude, au contact incessant de ces corps serrés et brûlants de passion, je sentais leur chaleur me pénétrer; mes nerfs se tendaient, mordus par leurs fortes odeurs, pour sortir de moi-même ; mes sens troublés jouaient avec tout ce vacarme, éprouvaient cet étourdissement confus qui se mêle à toute volupté intense. Pour la première fois depuis des années, peut-être même de ma vie, je sentais la masse en tant que force, d'où émanait une joie qui passait dans ma propre personne, vouée à l'isolement : une sorte de digue était rompue et le flot sortait de mes veines pour se répandre dans ce monde et revenir rythmiquement en arrière; un désir tout nouveau s'emparait de moi, celui de voir fondre la dernière croûte existant entre moi et les autres, une envie folle d'accouplement avec cette humanité étrangère, brûlante et passionnée. Avec la volupté du mâle, je brûlais de me répandre dans le sein gonflé de ce gigantesque corps plein d'ardeurs et avec la volupté de la femme j'étais accessible à tout contact, à tout appel, à toute séduction, à toute étreinte ; maintenant, je le savais, l'amour était en moi, et le besoin de l'amour, comme ce n'avait été le cas qu'aux jours troubles de mon adolescence. Oh! pouvoir participer à cette vie, pouvoir communier avec cette foule dans sa passion frémissante, haletante et joyeuse, pouvoir me répandre en elle et mêler mes effusions aux siennes! Devenir tout petit, tout à fait anonyme dans ce tourbillon, n'être qu'une infusoire dans la vase du monde, un être tremblant et brûlant de volupté dans la mare grouillante de myriades d'autres infusoires — pourvu que je puisse m'absorber dans cette plénitude, participer à cette ronde et m'élancer, comme une flèche, loin de ma propre individualité, dans l'inconnu, dans je ne sais quel ciel fait d'unanimité et de communauté!

Je m'en rends compte aujourd'hui ; à ce moment-là j'étais ivre. Dans mon sang tout vibrait et se confondait; les battements des cloches et le bruit des manèges, le rire tendre et voluptueux des femmes jaillissant sous l'étreinte des hommes, la musique chaotique, les costumes papillotants. Chaque bruit isolé pénétrait en moi avec acuité et revenait frôler mes tempes en jetant une lueur rouge et palpitante; je sentais chaque contact, chaque regard, avec une excitation fantastique de mes nerfs (comme lorsqu'on a le mal de mer), mais cependant tout cela se confondait dans une unité vertigineuse. Il m'est impossible de trouver des mots capables d'exprimer la complexité de mon état ; peut-être y réussirai-je plutôt au moyen d'une comparaison, en disant que j'étais sursaturé de bruits, de sons et de sentiments, que j'étais surchauffé comme une machine qui court follement pour échapper à la pression formidable qui, dans un instant, va faire éclater la chaudière. Mon sang, tout embrasé, frémissait jusqu'au bout de mes doigts, battait à mes tempes, me serrait à la gorge et menaçait de m'étouffer. Après des années de froideur, j'étais brusquement précipité dans une fièvre qui me consumait. Je sentais qu'il me fallait sortir de moi-même, me communiquer aux autres par un mot ou un regard, me répandre, me donner à quelqu'un, me livrer à une passion, échapper à mon individualité pour participer à quelque communauté — bref, briser cette dure carapace de silence qui m'isolait de tout élément vivant, chaud et expansif.

Depuis des heures, je n'avais pas dit un mot, je n'avais serré la main de personne, je n'avais senti en face du mien, interrogateur ou sympathique, le regard de personne, et à présent, sous l'afflux des faits, mon émotion croissante voulait rompre ce silence. Jamais je n'avais ressenti le besoin de me communiquer à quelqu'un et d'avoir près de moi un être humain autant que maintenant — maintenant que je voguais au milieu de milliers et de dizaines de milliers de gens, baigné de tous côtés par des flots de chaleur et de paroles, et pourtant n'ayant aucune part à l'expansion tourbillonnante de cette multitude. J'étais comme quelqu'un qui, en pleine mer, meurt de soif. Et, en même temps, chose qui augmentait mon tourment, je voyais, à tout instant, à droite et à gauche de moi, ces étrangers s'aborder et s'unir, ces petites boules de mercure se réunir comme en se jouant.

L'envie s'emparait de moi, lorsque je voyais de jeunes garçons interpeller en passant des jeunes filles étrangères et, dès les premiers mots, leur prendre le bras, lorsque je voyais tout cela entrer en relation et se lier; un salut au manège, un regard en passant suffisaient pour amener une conversation, laquelle peut-être s'arrêtait au bout de quelques minutes, mais, malgré tout, il y avait là des rapports, une union, une communication, il y avait là ce à quoi aspirait toute l'ardeur de mes nerfs. Et moi, qui étais un causeur qu'on aimait entendre en société et initié à toutes les formes de la conversation, je tremblais de peur, j'avais honte d'aborder une de ces servantes aux larges hanches, par crainte qu'elle rît de moi; même, je baissais les yeux quand quelqu'un me regardait par hasard et alors que je mourais d'envie de parler. Je ne savais pas clairement moi-même ce que je désirais de ces êtres humains ; je savais seulement qu'il m'était impossible de supporter plus longtemps d'être seul et de me laisser brûler par ma fièvre. Mais tout le monde allait et venait sans se soucier de moi; personne ne voulait remarquer ma présence.

Un petit garçon d'une douzaine d'années, les vêtements en haillons, passa près de moi: son regard brillait au reflet des lumières, tellement était grand le désir avec lequel il regardait le tournoiement des chevaux de bois.

Sa bouche étroite était ouverte avec avidité; sans doute qu'il n'avait pas d'argent et il se contentait de trouver du plaisir dans les cris et les rires des autres. Je le rattrapai en bousculant mes voisins, et je lui demandai (mais pourquoi ma voix tremblait-elle à ce point et avait-elle un son criard?) : « Veux-tu faire un tour de chevaux de bois? » Il me dévisagea fixement, s'effraya (pourquoi ?) devint tout rouge et s'enfuit sans dire un mot. Même un petit va-nu-pieds ne voulait pas me devoir un plaisir : il y avait en moi, je le sentais, quelque chose de terriblement étranger pour m'empêcher ainsi de me lier avec quelqu'un, de sorte que, dans cette masse compacte, je continuais à flotter isolé comme une goutte d'huile sur l'eau agitée.

Mais je ne me décourageai pas : j'étais incapable de rester plus longtemps seul. Les pieds me brûlaient dans mes chaussures vernies couvertes de poussière et mon gosier était comme rouillé par les lourdes odeurs. Je regardais autour de moi; à droite et à gauche des rues formées par les flots humains il y avait de petites îles de verdure, des cabarets avec des nappes rouges sur les tables et des sièges en bois sur lesquels étaient assis les petites gens, buvant leur verre de bière et fumant leur cigare du dimanche. Ce tableau m'attira : là des personnes qui ne se connaissaient pas étaient installées l'une contre l'autre, engageaient des conversations ; là il y avait un peu de repos au milieu de cette fièvre enragée. J'entrai dans l'un d'eux, j'examinai les tables, jusqu'à ce que j'en découvris une où se trouvait déjà une famille composée d'un gros ouvrier, trapu, avec sa femme, deux joyeuses fillettes et un petit garçon. Ils balançaient leurs têtes en mesure, se disaient des plaisanteries et leurs regards satisfaits, exprimant la joie de vivre, me faisaient du bien. Je saluai, mis la main sur un siège et demandai si la place était libre. Aussitôt leur sourire se figea; ils se turent pendant un instant (comme si chacun attendait que l'autre donnât son consentement), puis la femme dit, d'une voix où se remarquait un peu d'étonnement : « Je vous en prie, faites donc. »

Je m'assis et j'eus aussitôt l'impression que mon arrivée les gênait, car un silence désagréable se mit à régner autour de la table. Sans oser lever les yeux de la nappe à carreaux rouges, sur laquelle du sel et du poivre étaient renversés, je sentais que tous ces gens-là m'observaient ; je compris (un peu tard) que j'étais trop chic pour ce cabaret fréquenté par des ouvriers, avec mon costume derby, mon haut de forme à la mode parisienne et la perle de ma cravate couleur gorge de pigeon. Mon élégance, ce parfum de luxe qu'il y avait en moi, faisaient naître, ici aussi, autour de moi, une atmosphère de gêne et d'hostilité. Et le silence de ces cinq personnes me portait à baisser de plus en plus les yeux sur cette table, dont je comptais et recomptais les carreaux rouges avec un sourd désespoir, cloué sur place par la gêne que j'éprouvais de me lever tout de suite pour partir et, cependant, trop lâche pour diriger ailleurs mon regard tourmenté.

Ce fut pour moi une délivrance quand enfin le garçon se montra et mit devant moi un verre de bière énorme. Alors, je pus remuer la main et, en buvant, regarder avec timidité par-dessus le bord du verre : en vérité, les cinq membres de la famille m'observaient sans haine, mais, néanmoins, avec une stupéfaction muette. Ils reconnaissaient en moi un intrus par rapport à leur monde ; ils devinaient avec le naïf instinct de leur classe que je poursuivais et cherchais ici quelque chose d'anormal, que ce n'était ni l'amour, ni la sympathie, ni la joie simple produite par les valses, par la bière, ou par cette paisible sortie du dimanche, que j'étais mû par quelque désir qu'ils ne comprenaient pas et dont ils se méfiaient — de même que le gosse devant le manège s'était méfié de mon offre et comme les milliers de personnes anonymes là présentes dans la foule s'étaient détournées de mon élégance, de mon air d'homme du monde par une sorte d'hostilité inconsciente. Et, cependant, je le sentais, si maintenant je trouvais pour leur parler un mot simple, cordial, un mot véritablement humain, le père ou la mère me répondrait, les filles me souriraient d'un air flatté et je pourrais, avec le petit garçon, aller là-bas, dans un tir. me livrer avec lui à des amusements d'enfant. Au bout de cinq minutes, je serais délivré de moi-même, enveloppé dans l'innocente atmosphère de la conversation de petites gens, qui admettraient sans peine ma familiarité et même en seraient flattés. Mais ce simple mot, cette entrée en matière, je ne la trouvai pas ; une fausse honte, folle, mais toute-puissante, m'étreignait le gosier et j'étais assis, les yeux baissés, comme un criminel, à la table de ces braves gens, éprouvant le chagrin de leur avoir gâté, par ma présence muette, cette fin de dimanche. J'étais là comme cloué sur place, expiant toutes les années d'orgueil ou d'indifférence pendant lesquelles j'étais passé sans un regard devant des centaines et des centaines de tables pareilles, devant des milliers et des milliers d'êtres humains, mes frères, uniquement préoccupé de récolter des faveurs ou des succès dans le cercle étroit des élégances où j'étais confiné ; je sentais qu'en ce moment où, dans mon isolement, j'avais besoin de ces gens-là, le chemin qui conduisait vers eux était muré pour moi.

J'étais donc assis de la sorte, moi qui toujours avais été libre de tout lien, profondément tourmenté, recomptant les carreaux de la nappe. Enfin, le garçon passa. Je l'appelai, le payai, me levai sans avoir pour ainsi dire touché à mon verre de bière et saluai avec politesse. On me rendit aimablement mon salut, avec une sorte de surprise : je n'avais pas besoin de me retourner pour savoir que maintenant la gaîté et la vie allaient revenir parmi eux, que le cercle chaleureux de la conversation allait se reformer aussitôt après l'expulsion du corps étranger.

Je me rejetai dans le tourbillon humain, mais cette fois d'une manière plus avide, plus ardente et plus désespérée. La foule était devenue moins dense, sous les arbres, dont les branches noires émergeaient dans le ciel ; le mouvement et le bruit étaient moins actifs et moins intenses dans le cercle lumineux des chevaux de bois et il n'y avait plus qu'une petite agitation sombre à la limite extrême de la place. De même la rumeur des gens, retentissante, profonde et respirant la joie, s'éparpillait en de nombreux murmures qui, chaque fois, étaient emportés lorsque quelque part la musique reprenait puissante et enragée, comme si elle eût voulu ramener à elle les fugitifs. Des figures d'un autre genre faisaient leur apparition ; les enfants avec leurs ballons et leurs serpentins étaient partis ; les familles de promeneurs endimanchés s'étaient retirées. On commençait à voir des ivrognes qui criaillaient, des garçons débraillés, à la démarche traînante et pourtant aux aguets, sortir des allées contiguës ; durant le temps que j'avais passé à la table étrangère, le monde avait changé, il était devenu plus vulgaire. Mais cette atmosphère phosphorescente d'insolence et de danger me plaisait un peu mieux que l'autre, bourgeoisement dominicale, de tout à l'heure. L'instinct éveillé en moi flairait ici une égale tension du désir ; je trouvais en quelque sorte le reflet de moi-même dans la démarche rôdeuse de ces êtres douteux, de ce rebut de la société ; eux, comme moi, cherchaient ici, avec impatience et nervosité, quelque aventure trouble, quelque émotion rapide et je les enviais même, ces drôles en haillons, pour la manière libre et hardie dont ils déambulaient ; car, moi, j'étais debout contre le pilier d'un manège, le souffle haletant, impatient de chasser l'oppression, le tourment de ma solitude, et, cependant, incapable d'un cri, d'une parole, d'un mouvement. J'étais là, à regarder fixement vers la place éclairée par le reflet des lumières clignotantes et tournantes ; j'étais là à regarder, de mon îlot de lumière, dans l'obscurité, dévisageant avec une folle attente tout être humain qui, attiré par ce vif éclat, se dirigeait un instant de mon côté. Mais tous les yeux glissaient froidement sur moi ; personne ne voulait de moi, personne ne me tendait la main pour me délivrer de moi-même.

Il serait fou, je le sais, de vouloir faire comprendre ou même expliquer à quelqu'un que moi, personnalité cultivée et élégante de la société, moi, riche, indépendant, fréquentant les hautes classes d'une ville comptant plus d'un million d'habitants, je restais là debout pendant toute une heure, la nuit, contre le pilier d'un manège du Prater poursuivant sa ronde monotone avec son orchestre aux sonorités fausses, — que j'assistais immobile au déroulement répété de la même polka désaccordée, de la même valse coulante, auxquelles se joignait le tournoiement des mêmes têtes idiotes de chevaux de bois peints — et ce, par une sorte de sourd défi jeté au destin, mû par le désir d'asservir le sort à mon caprice. Je sais que, pendant cette heure-là, je me conduisis comme un insensé, mais dans ma folle obstination il y avait une intensité de sentiments, une crispation aiguë de tous les muscles comme les hommes n'en éprouvent sans doute que lors d'une chute dans un abîme, au moment où ils frôlent la mort ; toute ma vie qui, jusqu'alors, marchait à vide, avait soudain reflué en moi et son flot accumulé me montait jusqu'à la gorge. Et autant j'étais tourmenté par mon désir fou de rester là opiniâtrément jusqu'à ce que la parole ou le regard d'un être humain vînt me délivrer, autant ce tourment était pour moi une jouissance. Dans cette station, à cette sorte de pilori, j'expiais moins le vol que j'avais commis que la tiédeur, le vide et l'apathie de ma vie passée ; et je m'étais juré de ne pas m'en aller avant qu'un signe ne m'avertît que le sort m'avait délivré.

Dans les baraques les lumières s'éteignaient l'une après l'autre ; tel un flot qui monte l'ombre ne cessait de croître, avalait les taches claires du gazon ; l'îlot lumineux où je me trouvais devenait de plus en plus solitaire et déjà je regardais ma montre en frémissant. Encore un quart d'heure et puis les chevaux de bois bariolés s'arrêteraient, les lampes incandescentes, rouges et vertes, qui surmontaient leurs fronts hébétés s'éteindraient et l'orchestrion cesserait de marteler ses accords ampoulés. Alors je serais plongé tout à fait dans l'obscurité, je serais tout seul, ici, dans la nuit aux légères rumeurs, complètement repoussé, abandonné. Je regardais de plus en plus inquiet la place crépusculaire, sur laquelle, très rarement, à présent, passait un couple pressé de rentrer, ou bien titubaient des ivrognes ; mais dans l'ombre voisine frémissait encore une vie cachée, agitée et excitante. Parfois on entendait un léger sifflement ou un claquement de langue lorsque des hommes attardés venaient à passer ; si, attirés par cet appel, ils se dirigeaient vers l'obscurité, des voix de femmes chuchotaient alors dans les ténèbres et le vent m'apportait quelques lambeaux d'un rire bruyant. Peu à peu ces créatures s'avançaient effrontément à la limite extrême de l'obscurité, vers le cône de lumière de la place, mais pour se replonger aussitôt dans le noir, dès que le casque d'un agent de police brillait à la lueur d'un réverbère. Cependant à peine avait-il poussé sa ronde plus loin, que ces ombres fantomales étaient revenues et maintenant elles s'approchaient si près de la lumière qu'il m'était possible d'apercevoir distinctement ce rebut du monde nocturne, ce limon qu'avait laissé derrière lui en s'écoulant le flot des humains.

C'étaient quelques-unes de ces prostituées les plus pauvres et les plus malheureuses qui n'ont pas de lit à elles, qui, le jour, dorment sur un matelas et la nuit rôdent sans repos, donnant à quiconque ici, n'importe où, dans l'obscurité, leur corps maigre, souillé et usé pour une piécette d'argent, guettées par la police, harcelées par la faim ou quelque drôle, à la fois chassées et chassant elles-mêmes. Comme des chiens affamés, elles s'avançaient peu à peu, semblant flairer le vent, vers la place éclairée, à la recherche d'un mâle, d'un traînard égaré à qui elles pourraient, en échange du plaisir procuré, arracher une couronne ou deux pour se payer un vin chaud dans un pauvre bistro et entretenir la flamme trouble de leur bout d'existence, appelée de toute façon à s'éteindre bientôt dans un hôpital ou une prison.

Ce rebut de l'humanité, cette lie du flot de sensualité de la masse dominicale, je la voyais surgir de l'obscurité avec une horreur infinie. Mais dans cette horreur il y avait encore une joie magique, car dans ce vil miroir je reconnaissais des choses depuis longtemps oubliées et sourdement ressenties : c'était là un monde trouble et marécageux que j'avais traversé bien des années plus tôt qui faisait briller dans ma sensualité ses phosphorescences. Quel étrange phénomène que les choses remuées en moi par cette nuit fantastique, que la façon dont soudain elle mettait à nu les profondeurs de mon être et me découvrait ce qu'il y avait de plus obscur dans mon passé, de plus secret dans mes instincts ! Je retrouvais ce sourd sentiment de mes années d'adolescence, depuis longtemps ensevelies, où mon regard timide avait été curieusement attiré par de telles créatures et lâchement troublé par elles ; je me rappelais cette heure où pour la première fois, en montant un escalier grinçant et humide, j'en avais suivi une dans sa chambre. Soudain, comme si un coup de foudre venait de fendre le ciel nocturne, je revis nettement chaque détail de cette heure oubliée, la tache d'huile du lit, l'amulette que la femme portait au cou ; je ressentais toutes les émotions d'alors, cette lourdeur incertaine, ce dégoût et cette première fierté de jeune homme. Tout me repassa à travers le corps. Une netteté de vision sans pareille afflua en moi et (comment exprimer cet infini ?), je compris tout à coup que si j'étais animé d'une compassion si ardente pour ces créatures, c'est parce qu'elles étaient le dernier refuge de la vie ; mon instinct, une fois excité par le mal, comprenait très bien cette attente affamée, qui ressemblait tant à la mienne, dans cette nuit fantastique, — cette façon coupable de s'abandonner à chaque contact, à chaque volupté étrangère allumée par hasard.

J'étais attiré par quelque chose de magique ; mon portefeuille, contenant de l'argent volé, brûlait soudain ma poitrine, tandis que je sentais enfin là-bas la présence d'êtres au souffle chaud, d'humains, respirant et parlant, jetant un appel à d'autres êtres et peut-être aussi à moi-même, à moi qui n'attendais que l'occasion de me donner, qu'embrasait un désir fou de communion avec les vivants. Je compris tout à coup ce qui pousse les hommes vers ces créatures ; je compris qu'il est rare que ce ne soit que la chaleur du sang ou une ruée du désir, mais que c'est aussi la simple peur de la solitude, de cet affreux isolement que ma sensibilité éveillée éprouvait aujourd'hui. Je me rappelai la dernière fois que j'avais ressenti sourdement la même chose ; c'était en Angleterre, à Manchester, une de ces villes d'acier qui, sous un ciel sans lumière, sont bruyantes comme un chemin de fer souterrain et qui, cependant, dégagent un frisson de solitude qui vous pénètre jusqu'au sang. J'avais vécu dans cette ville pendant trois semaines chez des parents, errant seul le soir dans les bars et les clubs et sans cesse revenant au music-hall étincelant rien que pour sentir un peu de chaleur humaine. Et un jour que j'avais rencontré une femme de ce genre, dont je comprenais à peine l'anglais argotique, je me trouvai soudain dans sa chambre, buvant le rire d'une bouche étrangère, avec tout à côté de moi un corps chaud, accessible et tendre. La ville froide et noire, l'espace sombre et tumultueux, rempli de solitude, avait tout à coup disparu et un être que je ne connaissais pas, habitué à attendre tous ceux qui venaient, me délivrait et faisait fondre en moi tout orgueil : je respirais librement, je sentais la vie dans sa douce clarté, au milieu de la geôle d'acier ! Quelle chose merveilleuse pour les solitaires, pour ceux qui sont murés en eux-mêmes, que de savoir cela, que de découvrir qu'il y a, malgré tout, quelque part, un appui pour leur anxiété, un soutien qu'ils peuvent étreindre, bien qu'il ait été souillé par de nombreux contacts !

Et cela, je l'avais oublié en cette heure d'isolement douloureux qui m'avait fait errer la nuit en délirant ; je ne m'étais pas rappelé que toujours, dans quelque recoin, il y a encore ces derniers refuges, ces créatures qui attendent, prêtes à recevoir tout épanchement, à laisser reposer dans l'orbe de leur souffle toute solitude, à rafraîchir toutes les ardeurs, pour une petite pièce d'argent, laquelle est toujours inférieure au don inouï que constitue leur éternelle accessibilité et au grand bienfait de leur présence humaine.

A côté de moi, l'orchestrion du manège se remit en marche. C'était le dernier tour, la dernière fanfare de cette lumière tournant dans l'obscurité, avant que le dimanche fît place aux mornes jours de la semaine, mais plus personne ne vint ; les chevaux couraient à vide dans leur cercle insensé. Déjà à la caisse la femme excédée de fatigue palpait et comptait la recette du jour ; un commis vint, avec sa perche à crochet, prêt à baisser bruyamment les rideaux de la baraque. Il n'y avait plus que moi, rien que moi, à être encore là, appuyé au pilier, et je regardais la place déserte où, seules, passaient ces créatures, semblables à des chauves-souris, aux aguets comme moi, attendant comme moi, et cependant séparées de moi par un intervalle infranchissable. Mais l'une d'elles venait sans doute de me remarquer car elle s'avança lentement, je la voyais très bien, en baissant les yeux ; c'était un petit être rachitique, sans chapeau, avec une sorte de robe portée sans aucun goût, sous laquelle apparaissaient des chaussures de bal usées, le tout acheté sans doute bribe par bribe chez des brocanteuses ou en vrac chez un chiffonnier et depuis irrémédiablement fripé par la pluie ou quelque sale aventure dans l'herbe. Elle s'approcha doucement, s'arrêta à côté de moi, me jeta un regard pointu comme un hameçon suivi d'un sourire d'invitation. La respiration me manqua. J'étais comme hypnotisé : je ne pouvais pas bouger, je ne pouvais pas la regarder, je sentais seulement qu'il y avait là près de moi un être plein de désirs, quelqu'un qui me sollicitait et qu'enfin je pourrais d'un mot, d'un geste chasser loin de moi l'atroce solitude qui me pesait. Mais j'étais incapable de remuer, pareil au pilier auquel je m'adossais ; dans une espèce d'évanouissement voluptueux (tandis que la mélodie du manège s'apprêtait à mourir) je ne faisais que sentir cette présence proche, cette volonté qui me sollicitait et je fermai les yeux pendant un instant, pour me laisser entièrement envahir par l'attraction magnétique qu'exerçait sur moi cette incarnation quelconque d'humanité surgie de l'obscurité de l'univers.

Le manège s'arrêta, la valse expira dans un gémissement. J'ouvris les yeux juste pour voir la créature s'en aller. Evidemment, elle s'ennuyait de rester là à attendre à côté d'un être de bois. Je fus effrayé, j'étais comme glacé. Pourquoi l'avais-je laissé partir, l'unique humain qui, dans cette nuit fantastique, m'avait fait des avances et s'était soucié de moi ? Derrière moi les lumières s'éteignaient et les rideaux du carrousel grinçaient et craquaient en retombant. C'était la fin.

Et soudain (ah ! comment me décrire à moi-même ce subit et ardent bouillonnement ?), soudain (ce fut aussi violent, aussi brûlant, aussi brutal que si une veine eût éclaté dans ma poitrine), soudain surgit en moi, — l'homme orgueilleux, retranché dans la dignité et la froideur du mondain, — comme une sorte de convulsion et de cri, comme une prière, le désir enfantin, et pourtant si immense, de voir cette prostituée rachitique, sale et sans attrait, se retourner pour que je pusse lui parler. Car, pour aller à elle, j'étais, non pas trop fier (ma fierté avait été foulée aux pieds, brisée et emportée par des sentiments tout nouveaux), mais trop faible et trop indécis. Et ainsi je me tenais là debout, tremblant et bouleversé, seul, à ce pilier de martyr dans l'obscurité, attendant comme jamais je n'avais attendu depuis mon enfance, depuis qu'un soir je m'étais posté à la fenêtre pour regarder une femme, que je ne connaissais pas, qui se déshabillait lentement, n'en finissant jamais et restait là dans sa demi-nudité sans se douter de rien. Je priais d'une voix à moi-même inconnue pour que cet être maladif, ce rebut de l'humanité, voulût bien faire une nouvelle tentative et tourner une fois encore son regard vers moi.

Elle se retourna. Une fois encore, machinalement, elle regarda derrière elle. Mais le frémissement de mon regard et le sursaut de toute ma sensibilité tendue durent être si forts qu'elle s'arrêta et me dévisagea. Elle me sourit, me fit un signe de la tête pour m'inviter à aller de l'autre côté de la place qui était plongé dans la nuit. Et, enfin, fléchit l'horrible rigidité qu'il y avait en moi. Je pus me remuer et je lui fis un signe d'acquiescement.

Le pacte invisible était conclu. Alors, elle me devança à travers la place crépusculaire, se retournant de temps en temps pour voir si je la suivais. Et je la suivis : le plomb qui pesait sur mes genoux était tombé, je pouvais marcher. Une force magnétique m'attirait. Ma marche était inconsciente, c'était comme si j'eusse suivi une puissance mystérieuse. Dans l'obscurité de l'allée, entre les baraques, la femme ralentit son pas et je me trouvai à côté d'elle.

Elle porta sur moi pendant quelques secondes un regard inquisiteur et méfiant : quelque chose lui ôtait de son assurance. Sans doute mon étrange timidité, le contraste de l'endroit avec mon élégance lui étaient suspects. Elle regarda plusieurs fois autour d'elle et hésita. Puis elle dit, en me montrant le fond de l'allée, qui était noir comme une galerie de mine : « Allons là-bas, derrière le cirque, on ne nous verra pas ». Je fus incapable de répondre. L'effroyable vulgarité de cette rencontre m'étourdissait. J'aurais préféré me libérer n'importe comment, me racheter avec une pièce d'argent ou m'éloigner sous un prétexte quelconque, mais ma volonté n'avait plus de pouvoir sur moi. J'étais comme sur une luge, lorsque, précipité dans une courbe, on descend avec une vitesse folle la pente neigeuse et que la peur de la mort se mêle avec une sorte de volupté à l'enivrement, quand, au lieu de freiner, on s'abandonne sans volonté, et pourtant d'une façon consciente, au vertige de la chute. Je ne pouvais plus reculer, peut-être ne le voulais-je pas, d'ailleurs, et, à présent qu'elle se serrait contre moi, je saisis involontairement son bras. Il était d'une maigreur extrême, ce n'était pas le bras d'une femme, mais celui d'une enfant; à peine l'eus-je senti, à travers le mince mantelet, qu'au milieu de ma tension nerveuse je fus pris d'une compassion large et profonde pour ce misérable bout d'existence, pour cette épave que la nuit avait poussée vers moi et, sans le vouloir, mes doigts caressèrent ses articulations faibles et maladives avec plus de pureté et de respect que je n'en avais encore jamais manifesté au contact d'une femme.

Nous traversâmes une voie peu éclairée et nous entrâmes dans un petit bosquet où a-

puissantes couronnes d'arbres étreignaient fermement une obscurité sourde et peu sympathique. A ce moment-là, bien qu'on pût à peine distinguer quelque chose, je remarquai que, tout en me tenant le bras, elle se retournait avec précaution, ce qu'elle fit encore un ou deux mètres plus loin. Fait étrange, tandis que, comme plongé dans un engourdissement, je me laissais glisser dans cette aventure crapuleuse, mes sens étaient d'une acuité et d'une lucidité atroces. Avec une clairvoyance à laquelle rien n'échappait, qui pénétrait chaque mouvement de mon être, je remarquai que derrière nous, à la lisière du sentier que nous longions, une espèce d'ombre nous suivait et il me semblait entendre un pas furtif. Soudain, à la façon d'un éclair qui traverse le paysage d'une blancheur fulgurante, je devinai, je compris tout : j'étais attiré dans un piège, les complices de cette prostituée étaient aux aguets derrière nous et elle m'entraînait dans l'obscurité vers un endroit convenu d'avance, où je deviendrais leur proie. Avec une clarté surhumaine, comme il n'en existe que dans les quelques secondes qui vibrent entre la vie et la mort, je voyais tout, j'envisageais toutes les éventualités. Il était encore temps de fuir ; la grand'rue était sans doute tout près, car j'entendais le bruit du tramway électrique sur les rails, et un appel, un cri pouvait donner l'éveil aux gens : tous les moyens d'échapper au danger m'apparaissaient clairs et précis.

Mais, par un phénomène bizarre, cette constatation effrayante ne faisait que m'exciter, au lieu de m'arrêter. Aujourd'hui, en plein sang-froid, à la lumière d'un beau jour d'automne, je ne puis très bien m'expliquer l'absurdité de ma conduite : je savais par chaque fibre de mon être que j'allais sans nécessité vers un péril, mais l'avant-goût de ce péril faisait tressaillir mes nerfs, comme un délire. Je prévoyais une scène répugnante, mortelle même. Je tremblais de dégoût à l'idée que peut-être j'allais me trouver mêlé à une affaire vulgaire et dégoûtante qui pouvait se terminer par un meurtre ; mais justement devant cette ivresse de vie que je n'avais jamais connue, jamais pressentie, et qui affluait en moi jusqu'à m'étourdir, la mort même était encore une curiosité. Quelque chose (était-ce la honte de paraître avoir peur ou bien de la faiblesse ?) me poussait en avant. C'était pour moi une sensation excitante que de descendre jusqu'au dernier cloaque de l'existence, de compromettre et de salir en un seul jour tout mon passé, et une audacieuse volupté spirituelle se mêlait à la jouissance grossière de cette aventure. Bien que je flairasse le danger par tous mes nerfs, que je le comprisse profondément, grâce à mes sens et ma raison, malgré tout je continuai de marcher vers le bosquet, au bras de cette basse prostituée du Prater, qui physiquement me répugnait plus qu'elle ne m'attirait et dont je savais qu'elle faisait le jeu de souteneurs. Mais j'étais incapable de reculer. Le poids de l'acte délictueux que j'avais commis l'après-midi, au champ de courses, m'entraînait toujours plus bas. Et je n'attendais plus que l'étourdissement, l'ivresse de la chute dans de nouveaux abîmes et peut-être dans le dernier de tous — la mort.

Au bout de quelques pas la femme s'arrêta. De nouveau ses yeux furetèrent autour d'elle d'un air incertain, puis elle me regarda avec la mine de quelqu'un qui attend et dit : « Eh bien ! que vas-tu me donner ? »

Ah ! oui ! J'avais oublié cela. Mais la question ne me refroidit pas. Au contraire. J'étais si heureux de donner, d'être généreux, de pouvoir dépenser. Vivement, je fouillai dans ma poche et je versai dans la main ouverte toute ma monnaie, ainsi que quelques billets de banque froissés.

Et alors il arriva un événement si merveilleux qu'aujourd'hui encore mon sang s'enflamme rien que d'y penser : ou bien l'importance de la somme surprenait cette pauvresse, habituée à ne recevoir que très peu pour ses services crapuleux, ou bien, dans la manière dont je donnais, dans cette façon joyeuse, rapide et presque enchantée de donner, il devait y avoir quelque chose à quoi elle n'était pas accoutumée, quelque chose de nouveau, car je sentis à travers l'obscurité épaisse et louche que son regard me dévisageait avec un grand étonnement.

J'éprouvais enfin ce que j'avais cherché pendant toute cette soirée : il y avait là quelqu'un qui se souciait de moi, quelqu'un qui voulait me connaître. Et le fait que cet être qui portait comme une marchandise, à travers les ténèbres, son pauvre corps usé, qui, sans même regarder l'acheteur, s'était pressé contre moi, ouvrait ses yeux vers mes yeux en cherchant à découvrir l'être humain qu'il y avait en moi, ce fait accentuait encore mon ivresse singulière, à la fois clairvoyante et trouble, consciente et plongée dans un engourdissement magique. L'étrange créature appuyait de plus en plus son corps contre le mien, non point dans l'accomplissement professionnel d'un devoir salarié ; au contraire, je croyais découvrir dans son geste une sorte de gratitude inconsciente, un désir féminin de rapprochement. Je saisis son bras, ce bras d'enfant maigre et rachitique ; je me pénétrai de ce qu'était son corps chétif et, pardessus cela, j'aperçus soudain toute son existence ; le lit crasseux loué dans un hôtel de faubourg où elle dormait du matin jusqu'à midi, au milieu du tumulte d'enfants étrangers ; je voyais son souteneur, qui la rossait ; les ivrognes rotant qui se jetaient sur elle dans l'obscurité, la division spéciale, à l'hôpital, où, comme sujet d'étude, l'on exhiberait son corps recru de misère aux yeux de jeunes étudiants effrontés et puis le trépas quelque part dans la commune où elle était née, où on la débarquerait d'autorité, en la laissant crever comme une bête. Une compassion infinie pour elle et pour tous les humains s'empara de moi, quelque chose de chaleureux, qui était fait de tendresse et où il n'y avait aucune sensualité. Je caressais sans cesse son petit bras maigre. Et puis je m'inclinai et je l'embrassai à sa grande surprise.

Au même instant il y eut derrière moi un léger bruit. Une branche craqua. Je fis un saut en arrière et j'entendis une voix masculine, forte et vulgaire, me dire avec un rire sarcastique : « Ah ! nous y sommes. Je l'avais tout de suite pensé ! »

Avant de regarder, je savais à qui j'avais affaire. Je n'avais pas oublié une seconde, au milieu de mon engourdissement, que j'étais épié, et même ma curiosité aiguë et secrète avait attendu ce moment-là. Alors une silhouette sortit du fourré, suivie d'une autre : c'étaient des voyous à l'allure insolente. De nouveau retentit le rire grossier. « Quel culot de venir faire ici des cochonneries comme ça ! Bien entendu, c'est un type de la haute. Mais nous allons lui apprendre à vivre ». J'étais là immobile. Le sang battait à mes tempes. Je n'avais pas peur, j'attendais simplement la suite. A présent, j'étais dans l'abîme, dans la profondeur suprême de l'abjection. A présent, le coup de grâce allait venir, l'effondrement, la fin au-devant de laquelle je m'étais laissé conduire à demi inconscient. La fille s'était un peu écartée de moi, mais sans se placer de leur côté. Elle se tenait pour ainsi dire entre nous. Apparemment le guet-apens qu'elle avait contribué à préparer ne lui plaisait pas beaucoup. D'autre part, les drôles étaient fâchés de voir que je ne bougeais pas. Ils se regardaient l'un l'autre ; il était clair qu'ils attendaient de moi une protestation, une prière, un signe de peur. « Ah ! Ah ! il la ferme ! » finit par s'écrier l'un d'eux d'une voix menaçante. Et l'autre, s'avançant sur moi, dit impérieusement : « Tu vas nous suivre au commissariat. »

Je ne répondis pas davantage. L'un d'eux me mit la main sur l'épaule et me poussa légèrement devant lui. « En avant ! » dit-il.

J'obéis ; je ne me défendis pas, parce que je ne voulais pas me défendre : ce que la situation avait d'inouï, de bas, de dangereux m'étourdissait. Néanmoins, mon cerveau restait lucide ; je savais que les coquins craignaient la police plus que moi et que je pouvais me rendre libre avec quelques couronnes, mais je voulais savourer jusqu'au fond toute cette horreur. Je jouissais de tout ce que la scène avait d'affreux et d'humiliant pour moi, comme dans une sorte d'évanouissement conscient. Sans hâte, machinalement, je suivais la direction dans laquelle ils m'avaient poussé.

Mais justement parce que je marchais ainsi, sans mot dire, avec tant de docilité vers la lumière, les drôles étaient décontenancés. Ils chuchotaient. Puis ils se remirent à parler entre eux à haute voix, intentionnellement : « Laisse-le foutre le camp », dit l'un (un petit bonhomme portant des traces de variole) ; mais l'autre riposta, avec une sévérité affectée : « Non, pas de ça ! Si un pauvre type comme nous, qui n'a rien à bouffer, faisait la même chose, on le foutrait au clou. Mais un monsieur... Non, il faut qu'il paie. » Et j'entendais chaque parole, je saisissais la prière maladroite qui s'y trouvait impliquée et qui était une invitation à négocier ; le malfaiteur qu'il y avait en moi comprenait le malfaiteur chez eux ; je savais qu'ils voulaient me faire peur, et moi, je les tourmentais par ma docilité. Il y avait là un combat muet (oh ! quelle richesse dans cette nuit !) qui me faisait éprouver au milieu d'un péril mortel, dans ce coin puant de la Praterwiesë, entre des rôdeurs et une prostituée, pour la seconde fois depuis quelque heures, la magie enivrante du jeu, mais ici l'enjeu était mon existence bourgeoise, ma vie même. Et je m'abandonnais à l'enchantement éblouissant du hasard de toute la force de mes nerfs frémissants et tendus — tendus à se briser.

« Ah ! voilà un flic, dit l'une des voix derrière moi, il ne va pas être à la noce, le beau monsieur, il ira manger des fayots pendant une semaine. » Le ton s'efforçait d'être méchant et menaçant, mais je sentais les hésitations et le manque d'assurance qu'il y avait là-dessous. Avec tranquillité, je marchai vers la zone de lumière, où en effet brillait le casque à pointe d'un sergent de ville. Vingt pas encore et je serais devant lui. Les drôles avaient cessé de parler; je remarquai la lenteur avec laquelle ils marchaient; dans un instant, je le savais, ils rentreraient lâchement dans l'obscurité, dans leur élément, irrités d'avoir manqué leur coup et ils déchargeraient leur colère sur la misérable femme. Le jeu était fini: pour la seconde fois aujourd'hui j'avais gagné; j'avais empêché des individus que je ne connaissais pas de satisfaire leur mauvaise envie. Déjà flamboyait devant moi le cercle blême des réverbères; me retournant alors, je dévisageai les deux gaillards : il y avait dans leurs yeux mal assurés de l'irritation et une honte cachée. Ils s'arrêtèrent, inquiets, déçus, prêts à rentrer précipitamment dans les ténèbres. Car leur puissance était à bout, maintenant c'était moi qui leur faisais peur.

A ce moment-là une compassion infinie et fraternelle pour ces deux êtres s'empara de moi ; c'était comme si la fermentation de mon corps eût soudain fait sauter toutes les douves de ma poitrine et comme si l'ardeur de ma sensibilité se fût épanchée dans mon sang. Qu'avaient-ils donc désiré de moi ces pauvres bougres affamés et dépenaillés, de moi qui étais rassasié de tout, qui n'étais qu'un parasite? Quelques couronnes, quelques misérables couronnes. Ils auraient pu me sauter à la gorge là-bas dans les ténèbres, me détrousser, me tuer, et ils ne l'avaient pas fait; ils avaient simplement cherché, d'une manière inexperte et maladroite, à me faire peur, pour que je leur donnasse un peu de l'argent que j'avais en poche. Comment, moi, qui avais volé par caprice, par insolence, moi qui avais commis un délit pour détendre mes nerfs, pouvais-je les tourmenter, eux, ces pauvres diables ? Et à ma compassion se joignit une immense honte d'avoir joué avec leur impatience, avec leur anxiété, pour mon simple plaisir. Je rassemblai mon énergie : maintenant que j'étais en sûreté et déjà protégé par la lumière de la rue toute proche il me fallait leur être agréable et éteindre la déception qui se lisait dans ces regards amers et pleins de faim.

Me retournant brusquement, je m'approchai de l'un d'eux. « Pourquoi voulez-vous me dénoncer? » dis-je, en m'efforçant de donner à ma voix l'accent de quelqu'un dont la crainte suspend la respiration. « Quel profit en aurez-vous? Il est possible qu'on m'envoie en prison comme il est possible qu'on me laisse en liberté. Mais, dans le premier cas, à quoi cela vous servira-t-il ? Pourquoi voulez-vous ruiner ma vie ? »

Tous deux avaient un regard embarrassé. Ils s'étaient à présent attendus à tout, à un cri d'appel, à une menace, qui les aurait fait fuir en grognant comme des chiens, à tout, sauf à cette attitude. Enfin, l'un d'eux déclara, non pas sur un ton menaçant, mais comme en s'excusant : « Il faut une justice. Nous ne faisons que notre devoir. »

C'était là, visiblement, une formule apprise d'avance pour des cas pareils. Et, cependant, cela paraissait être dit avec une certaine contrainte. Aucun des deux hommes n'osait me regarder. Ils attendaient. Et je savais quoi. Ils attendaient que j'implorasse leur indulgence et que je leur offrisse de l'argent.

Je me rappelle encore tout ce que j'ai éprouvé pendant ces quelques secondes. Je me souviens de l'agitation de chacun de mes nerfs, de chaque pensée qui vibrait derrière ma tempe. Et je sais ce qu'alors ma méchanceté voulut tout d'abord : les faire attendre, les tourmenter encore plus longtemps, savourer la volupté de l'attente imposée. Mais je me contraignis vite et je fis le suppliant, parce que je savais qu'il me fallait enfin délivrer ces deux êtres de leur anxiété. Je me mis à jouer la comédie de la peur, j'implorai leur pitié, je leur demandai de se taire et de ne pas faire mon malheur. Je remarquai comme ils étaient embarrassés, ces pauvres amateurs de l'extorsion, et comme le silence qui régnait entre nous avait l'air de s'attendrir.

Alors je prononçai enfin, enfin, les mots après lesquels ils soupiraient depuis si longtemps. « Je... je vous donne... cent couronnes. »

Tous les trois eurent un sursaut et se regardèrent. Ils ne s'attendaient plus à une pareille chose, maintenant qu'en somme tout était perdu pour eux. Puis, l'un d'eux, le grêlé, se ressaisit. Il s'y prit à deux fois. Les paroles ne pouvaient pas lui sortir de la gorge. Il finit par dire, et je sentais quelle gêne il éprouvait : « Deux cents. »

« Mais finissez donc, intervint soudain la femme. Vous pouvez être contents qu'il vous donne quelque chose. C'est vraiment trop fort ! »

Elle leur criait cela avec une irritation véritable. Mon cœur battait. Quelqu'un avait pitié de moi, quelqu'un intercédait pour moi ; la bonté sortait de la vilenie et un obscur désir de justice émanait d'une extorsion. Comme cela me faisait du bien ! Comme cela répondait tout à fait à la dilatation de mon être ! Non, je n'avais pas le droit de jouer plus longtemps avec ces gens-là, de continuer à les tourmenter, à les inquiéter, à jouir de leur malaise : c'était assez.

« Bien, deux cents, alors. »

Tous trois se taisaient. Je sortis mon portefeuille. Je le dépliai très lentement et je l'étalai dans ma main. D'un bond ils auraient pu me l'arracher et s'enfuir dans l'obscurité. Mais ils n'osaient même pas le regarder. Il y avait entre eux et moi comme un pacte secret, non plus une lutte ni un jeu, mais bien un état de droit, de confiance, un rapport humain. Je pris les deux billets de banque dans le paquet volé et je les tendis à l'un d'eux.

« Merci bien », dit-il sans le vouloir. Et aussitôt il se détourna. Il sentait lui-même le ridicule qu'il y avait à remercier pour de l'argent escroqué. Il avait honte (oh ! cette nuit-là je sentais la moindre chose, je pénétrais le sens de chaque geste) et cela m'oppressait. Je ne voulais pas qu'un homme eût honte devant moi, qui étais pareil à lui, voleur comme lui, faible, lâche et sans volonté comme lui. Son humiliation me tourmentait et je voulus la faire cesser.

« C'est moi qui dois vous remercier », dis-je en m'étonnant du ton de cordialité sincère qu'exprimait ma voix. « Si vous m'aviez dénoncé, c'était ma mort. J'aurais été obligé de me loger une balle dans la tête et cela ne vous aurait servi à rien. Il vaut mieux que nous nous soyons arrangés. Maintenant, je m'en vais de ce côté-ci, à droite, et vous, vous allez partir de l'autre, n'est-ce pas ? Bonne nuit. »

De nouveau, ils restèrent un instant muets. Puis l'un d'eux me dit : « Bonne nuit » ; l'autre fit de même, ensuite la prostituée, qui était restée tout à fait dans l'obscurité. Leur voix avait un accent chaleureux, cordial, comme un véritable souhait. Je devinais que quelque part, dans la profondeur obscure de leur être, ils m'aimaient et qu'ils n'oublieraient pas cette seconde singulière. Que ce fût à l'hôpital ou en prison, ils s'en souviendraient sans doute un jour : quelque chose de moi vivait en eux maintenant que je leur avais donné cet argent. Et la joie de ce don remplissait mon être comme jamais encore ne l'avait fait un autre sentiment.

Je me dirigeai seul, à travers la nuit, vers la sortie du Prater. Le malaise qui était en moi avait disparu; mon être se répandait avec une plénitude jamais éprouvée dans l'infini de l'univers, moi qui, jusqu'à présent, avais été la sécheresse même. Il me semblait que tout ne vivait que pour moi seul et, à mon tour, je me voyais en communion avec toutes choses. Les arbres m'enveloppaient de leurs ombres noires, c'était à moi que s'adressaient leurs rumeurs et je les aimais. Les étoiles envoyaient vers la terre leurs rayons brillants, je respirais leur salut argenté. Des voix venaient en chantant de je ne savais où et il me semblait que leur chant m'était destiné. Tout m'appartenait à présent, depuis que j'avais brisé l'écorce qui entourait ma poitrine, le bonheur de me donner et de me prodiguer m'inclinait vers tout. Oh! qu'il est facile sentais-je, de créer de la joie et de s'en réjouir : on n'a qu'à ouvrir son être et le flot de la vie se répand d'humain à humain, se précipite des hautes classes vers les basses pour rejaillir dans l'infini.

A la sortie du Prater, à côté d'une station de voitures, j'aperçus une marchande courbée sur son petit étalage. Elle vendait de la pâtisserie toute saupoudrée de poussière et des fruits; elle était sans doute là depuis le matin, pliée sur ses quelques sous et la fatigue la coupait en deux. Pourquoi ne te réjouirais-tu pas, toi aussi, pensai-je, puisque moi je me réjouis? Je pris un petit gâteau et posai devant elle un billet de banque. Elle se demandait comment elle allait me rendre la monnaie, mais déjà j'étais parti et je vis seulement la stupéfaction faite de bonheur qui s'empara d'elle, sa silhouette recroquevillée se redresser soudain, sa bouche figée de surprise essayer de m'envoyer mille bons souhaits. Le gâteau entre les doigts, je m'approchai d'un cheval appuyé avec lassitude contre son brancard; il tourna la tête de mon côté, souffla amicalement vers moi. Dans son regard apathique je vis qu'il me remerciait lui aussi de caresser ses naseaux roses et de lui tendre la friandise. A peine avais-je fini que je désirai faire davantage : je désirai créer encore plus de joie, sentir encore mieux comment, avec quelques pièces d'argent, quelques bouts de papier colorié, on pouvait éteindre l'anxiété, tuer le souci, allumer la gaieté. Pourquoi n'y avait-il pas là des mendiants? Pourquoi ne voyais-je pas d'enfants voulant de ces ballons attachés à des fils en épais faisceaux qu'un estropié aux cheveux blancs et à l'air mécontent rapportait chez lui, clopin-clopant, marchand déçu par les mauvaises affaires de cette longue et bruyante journée. J'allai à lui. « Donnez-moi vos ballons. » — « Deux sous pièce », dit-il avec méfiance, se demandant ce que voulait faire de ses ballons, à minuit, cet élégant oisif. « Je les prends tous », dis-je, en lui offrant un billet de dix couronnes. Il eut un mouvement de surprise, me regarda comme ébloui, puis me tendit en tremblant la corde qui retenait le stock. Je sentis une traction au doigt : ils voulaient s'en aller, être libres et s'élancer dans les airs, ces captifs! Eh bien! envolez-vous là où vous le voulez! Soyez libres!

Je lâchai la corde et, brusquement, ils s'envolèrent, faisant penser à une multitude de lunes de diverses couleurs. Les gens attardés s'approchaient en riant, les amoureux sortaient de l'ombre, les cochers faisaient claquer leur fouet et se montraient du doigt, tout en s'appelant, les ballons libérés qui, dépassant les arbres, se dirigeaient vers les toits des maisons. Tout le monde s'amusait de mon acte de douce folie.

Pourquoi n'avais-je jamais su auparavant combien il est facile, et quel bonheur cela procure, de créer de la joie? Brusquement, les billets de banque que j'avais dans mon portefeuille se mirent à me brûler, à me tirer, comme la ficelle des ballons : eux aussi voulaient s'envoler loin de moi, dans l'inconnu. Je les pris entre les doigts, ceux que j'avais dérobés à Lajos et les miens (car je ne voyais plus entre eux aucune différence au point de vue de ma culpabilité), prêt à les distribuer à tous ceux qui en voudraient. Je m'avançai vers un balayeur qui nettoyait sans entrain la Praterstrasse déserte. Il crut que je voulais lui demander le nom d'une rue et il me regarda de mauvaise humeur : je lui souris en lui tendant un billet de vingt couronnes. Il me dévisagea sans comprendre, puis enfin il le prit, attendant ce que je lui réclamerais en échange. Mais, tout en continuant de sourire, je lui dis : « Tu boiras un verre à ma santé », et je m'en allai. Je regardai de tous côtés s'il n'y avait pas quelqu'un qui désirât quelque chose de moi et comme personne ne se présentait je pris les devants : je donnai un billet à une prostituée qui m'adressa la parole, j'en donnai deux à un éteigneur de réverbères; j'en jetai un autre par le soupirail d'un fournil de boulangerie, et je continuai ainsi de marcher en laissant derrière moi un sillage d'étonnement, de gratitude et de joie. Finalement je les jetai un à un et tout froissés dans le vide de la rue, sur les marches d'une église, en me réjouissant à la pensée de la bonne vieille ratatinée qui, en allant faire sa prière matinale, trouverait les cent couronnes et bénirait le Seigneur, à la pensée du pauvre étudiant, de la jeune fille ou de l'ouvrier qui découvrirait sur son chemin cet argent avec surprise et aussi avec bonheur — tout comme cette nuit-là je m'étais découvert moi-même avec surprise et bonheur.

Il me serait aujourd'hui impossible de dire où et comment je les distribuai tous, ces billets de banque, et finalement les quelques pièces d'argent qui me restaient encore en poche. Il y avait en moi une sorte de vertige, une effusion semblable à celle avec laquelle on étreint une femme et, lorsque les derniers papiers se furent envolés, je me sentis aussi léger que si j'eusse eu des ailes et plus libre que je ne l'avais jamais été. La rue, les maisons, le ciel, tout se confondait, à mes yeux, dans un sentiment tout à fait nouveau d'intimité, de possession : jamais, même dans les moments les plus ardents de mon existence, je n'avais eu avec autant de force l'impression que toutes ces choses-là existaient réellement, qu'elles vivaient et que je vivais, moi aussi, que leur vie et la mienne étaient pareilles, même la vie grandiose et puissante dont on ne sent jamais assez le bonheur, que l'amour est seul à comprendre, dont seul celui qui se donne saisit toute la richesse.

Ensuite il y eut encore un dernier moment pénible : ce fut lorsque, rentré chez moi, j'eus introduit la clé dans ma porte et que le couloir conduisant à mon appartement s'ouvrit tout noir devant moi. Alors je fus soudain assailli par la crainte de continuer mon existence d'autrefois, en pénétrant dans le logis de l'homme que j'avais été jusqu'à cette heure-là, en me couchant dans son lit, en reprenant contact avec tout ce que cette nuit avait si bellement anéanti en moi. Non, tout, plutôt que de redevenir l'homme d'hier, le gentleman correct, impassible et isolé de l'univers que j'étais la veille, que j'étais jadis! Mieux valait me précipiter dans tous les abîmes du crime et de l'horreur, qui, du moins, eux, faisaient partie de la réalité de l'existence! J'étais fatigué, indiciblement fatigué et, pourtant, je redoutais que le sommeil ne s'abattît sur moi — en recouvrant de son noir limon toute cette ardeur, cette passion, cette vie que la nuit venait d'allumer en moi — et que tous ces événements ne laissassent pas plus de trace qu'un rêve fantastique. Mais le lendemain je me réveillai avec une alacrité à laquelle je n'étais pas habitué, dans un matin tout nouveau pour moi, et rien n'était tari de la sensibilité qui, la veille, répandait en moi son flot généreux.

Depuis lors, quatre mois se sont écoulés et la sécheresse d'autrefois n'est plus revenue ; je m'épanouis toujours avec chaleur au sein des heures. A vrai dire, l'ivresse magique que j'éprouvai lorsque soudain mes pieds ne trouvèrent plus sous eux le sol auquel m'avait habitué mon milieu, lorsque je me précipitai dans l'inconnu et qu'en roulant ainsi dans mon propre abîme je savourai éperdument le vertige de la vitesse, en même temps que la profondeur de toute la vie — en vérité cette ardeur et ces élans n'existent plus, mais depuis ce moment-là je sens dans chaque souffle de ma respiration la chaleur de mon propre sang et cela avec une volupté de vivre qui chaque jour se renouvelle. Je sais que je suis devenu un autre homme, avec d'autres sens, une autre émotivité, une conscience plus aiguë. Evidemment, je n'ose pas prétendre que je suis devenu un homme meilleur ; je sais seulement que je suis plus heureux, parce que j'ai donné, en quelque sorte, un sens à ma vie, qui autrefois était froide et inerte. Depuis lors, je ne m'interdis plus rien, parce que je considère comme vaines les normes et les formes de la société à laquelle j'appartiens et je n'éprouve de gêne ni devant les autres ni devant moi-même. Des mots comme « honneur », « délit », « honte », ont soudain pris un accent glacial et hypocrite et je ne peux plus les prononcer sans horreur. Je vis en laissant conduire ma vie par la puissance que j'ai alors pour la première fois si magiquement éprouvée. Je ne me demande pas où elle mène : peut-être est-ce vers un nouvel abîme, dans ce que les autres appellent vice, ou peut-être vers quelque chose de tout à fait sublime. Je l'ignore et ne veux pas le savoir. Car je crois que seul vit véritablement celui qui vit son destin comme un mystère.

Mais, j'en suis bien certain, je n'ai jamais aimé la vie avec plus de passion et je sais à présent que tout homme commet un crime (le seul qui existe !) en se montrant froid envers quelqu'une des formes et des incarnations de cette vie. Depuis que j'ai commencé à me comprendre moi-même, je comprends aussi une infinité d'autres choses : le regard d'un être plein de désir devant un étalage peut me remplir d'émotion, les cabrioles d'un chien m'enthousiasmer. Désormais, je fais attention à tout, rien ne m'est indifférent. Je lis dans le journal (qu'autrefois je ne feuilletais que pour y chercher des distractions et des ventes aux enchères) mille faits quotidiens qui m'émeuvent ; des livres qui m'ennuyaient me révèlent soudain leur intérêt. Le plus remarquable, c'est que je peux à présent parler aux gens, même en dehors de ce qu'on appelle la conversation. Mon valet de chambre, que j'ai depuis sept années, m'intéresse; je m'entretiens souvent avec lui; le concierge devant qui autrefois je passais sans faire attention, comme devant une sorte de pilier mobile, m'a raconté ces jours derniers la mort de sa petite fille et j'en ai été plus ému que par les tragédies de Shakespeare. Et ce changement (bien que, pour ne pas me trahir, je continue extérieurement à vivre dans les milieux où règne un ennui de bon ton) semble peu à peu transparaître. Nombre d'êtres humains sont tout à coup devenus cordiaux avec moi ; pour la troisième fois cette semaine des chiens inconnus sont venus vers moi dans la rue. Des amis me disent, avec une certaine joie, comme à quelqu'un qui a triomphé d'une maladie, qu'ils me trouvent rajeuni.

Rajeuni? Moi seul, je sais, en effet, que c'est maintenant seulement que je commence à vivre. Sans doute que c'est là une illusion générale, chacun pensant que tout ce qui est passé a toujours été erreur ou simple préparation de l'avenir; et je comprends très bien la vanité qui me pousse à prendre dans ma main chaude et vivante une froide plume pour écrire sur un papier, qui ne peut être que sécheresse, qu'on vit réellement. Mais cela aussi fût-il une illusion, c'est la première qui me rende heureux, la première qui ait réchauffé mon sang, qui ait ouvert les écluses de ma sensibilité. Et si je note ici le miracle de mon éveil à la vie, je ne le fais que pour moi seul, moi qui sais tout cela plus profondément que mes propres paroles ne peuvent me le dire. Je n'en ai parlé à aucun ami; on n'a jamais su que l'insensibilité régnait jadis en moi, on ne saura jamais quel épanouissement s'y affirme désormais. Si la mort devait passer brusquement dans ma vie si vivante, si ces lignes devaient jamais tomber dans les mains d'un autre, cette éventualité ne m'effraie ni ne me tourmente. Celui qui n'a jamais eu conscience d'une heure pareille comprendra aussi peu que j'aurais pu moi-même le comprendre, il y a de cela six mois, que quelques épisodes, éphémères et en apparence sans aucune liaison entre eux, d'une seule nuit fussent capables de rallumer si magiquement une destinée pour ainsi dire déjà éteinte. Devant lui je n'ai aucune honte, il ne me comprendra pas. Mais celui qui connaît l'enchaînement des choses se garde bien de juger et n'a point d'orgueil. Devant lui non plus je n'ai pas de honte, il me comprend. Une fois que quelqu'un s'est trouvé lui-même, il ne peut plus rien perdre dans ce monde. Et dès que quelqu'un a compris l'être humain qu'il y a en lui il comprend tous les humains.

LES DEUX JUMELLES

(*Conte drolatique*)

Quelque part dans une ville du Midi de la France je fus surpris un jour, en débouchant d'une rue étroite, de me trouver en face d'un vieil et majestueux édifice surmonté de deux tours si identiques qu'à la lueur du crépuscule l'une paraissait être l'ombre de l'autre. Ce n'était pas une église; ce n'était pas non plus un palais d'une époque lointaine. Ce bâtiment avait quelque chose de monastique, bien qu'avec ses vastes et lourdes murailles il fît penser aussi à une construction profane mais d'une espèce indéfinissable. Curieux, je m'approchai d'un citoyen aux joues rubicondes qui dégustait un verre de vin couleur paille à la terrasse d'un petit café et, soulevant mon chapeau, je lui demandai quelle était cette bâtisse imposante qui se dressait au-dessus des toits bas à lucarnes. Le bonhomme me regarda avec étonnement, puis il sourit longuement, savoureusement, avant de me répondre.

« Je ne peux pas, me dit-il alors, vous renseigner avec certitude, car il est possible qu'on la désigne autrement sur le cadastre ; en ce qui nous concerne nous la nommons toujours, comme au temps jadis, la « maison des sœurs », peut-être en raison de la similitude des deux tours, peut-être à cause de... » Il se tut et réprima un nouveau sourire comme s'il voulait d'abord être sûr d'avoir excité ma curiosité. Je ne pouvais me contenter d'une réponse incomplète; nous liâmes conversation et j'acceptai volontiers l'offre de goûter à son vin sec et doré. Devant nous l'immatérielle dentelure des tours brillait à la clarté grandissante de la lune, le vin était excellent et l'histoire suivante des deux jumelles semblables et dissemblables à la fois qu'il me conta au cours de cette tiède soirée me parut amusante. Je la rapporte fidèlement sans en garantir toutefois l'authenticité.

Cela se passait à l'époque où l'armée du roi Théodose hivernait dans la capitale de l'Aquitaine. Tandis qu'une grasse oisiveté redonnait aux chevaux fourbus leur robe soyeuse et que les hommes s'ennuyaient, il arriva que le chef de la cavalerie, un Lombard du nom de Hérilunt, s'éprit d'une belle marchande qui vendait des condiments et des aromates dans le fond d'un faubourg tortueux. La violence de sa passion fut telle que, nonobstant la basse condition de l'aimée, il s'empressa de l'épouser afin de la posséder plus tôt et avec elle il s'installa dans un palais de la place du Marché. Durant de longues semaines ils y vécurent cachés, uniquement occupés d'eux-mêmes et oubliant les hommes, le roi et la guerre. Pendant qu'ils étaient ainsi tout à l'amour et qu'ils passaient leurs nuits dans les bras l'un de l'autre, le temps poursuivait sa course. Le tiède vent du sud se mit soudain à souffler, brisant sur son passage la glace des rivières et faisant éclore crocus et violettes dans les prés. En une nuit les arbres se couvrirent de pousses vertes, d'humides guirlandes de bourgeons jaillirent des branches encore raides de gelée; le printemps montait de la terre fumante, ramenant la guerre avec lui. Un beau matin les deux amants furent réveillés par un coup de marteau impérieux qui ébranlait leur porte : c'était un émissaire du roi qui apportait au général l'ordre de se préparer à partir. Les tambours battirent le rappel dans le quartier, les étendards claquèrent joyeusement au vent et bientôt la place du Marché retentit sous le sabot des chevaux sellés et équipés. Hérilunt s'arracha aux tendres embrassements de son épouse d'un hiver; quelque ardent en effet que fût son amour l'ambition et la mâle passion des combats parlaient plus fort en lui. Insensible aux larmes de sa femme qui le suppliait de lui permettre de l'accompagner, il la laissa dans la vaste maison et partit à la tête de troupes innombrables pour la Mauritanie. Là, il vainquit l'ennemi dans sept batailles, réduisit en cendres les repaires des Sarrasins, rasa leurs villes et poussa ses razzias jusqu'à la côte; il dut affréter des voiliers et des galères pour expédier le butin dans son pays tant il était considérable. Jamais victoire ne fut plus rapidement acquise, campagne plus promptement menée. Il était naturel que le roi, pour récompenser un soldat aussi brave, lui donnât en fief moyennant une modique redevance tout le pays conquis. Hérilunt, qui n'avait guère eu jusque-là d'autre demeure que les camps, aurait pu goûter au repos et jouir d'un opulent bien-être. Cependant ce rapide succès aiguillonna son ambition plus qu'il ne la modéra. Le général ne voulait plus être vassal ni tributaire de personne, pas même de son souverain. Seule une couronne royale lui semblait digne d'orner le front blanc de son épouse. Il excita donc sourdement ses propres troupes contre le roi et fomenta une rébellion. Mais vite dévoilé le complot échoua. Battu avant d'avoir pu livrer bataille, excommunié par l'Eglise, abandonné de ses cavaliers, Hérilunt dut se réfugier dans la montagne où, tentés par une forte prime, des paysans assommèrent le fugitif pendant son sommeil.

A l'heure où les archers du roi découvrant sur la paille d'une grange le cadavre sanglant du rebelle le dépouillaient de ses bijoux et de ses vêtements et le jetaient à la voirie, sa femme, ignorant son désastre, accouchait dans leur lit somptueux de deux jumelles que l'évêque baptisait de sa propre main en présence d'une affluence considérable. Les cloches de l'église résonnaient encore et les convives trinquaient joyeusement lorsque parvint la nouvelle de la révolte et de la défaite d'Hérilunt, bientôt suivie d'une seconde : le roi, selon la coutume, confisquait la maison et les biens du rebelle. A peine relevée de couches, la belle boutiquière dut donc regagner la triste ruelle de son faubourg comme si elle venait de vivre un rêve avec cette différence toutefois qu'elle retournait à sa misère avec deux mioches et une amère déception au cœur. Du matin au soir on la revit sur son petit escabeau de bois vendant ses condiments et encaissant bien souvent moins de sous que de railleries et de sarcasmes. Le chagrin ternit rapidement l'éclat de ses yeux, ses cheveux grisonnèrent de bonne heure. Cependant la vivacité et la grâce singulière de ses filles la dédommagèrent vite de ses peines et de son infortune; toutes deux avaient hérité de la beauté rayonnante de leur mère et se ressemblaient tellement au physique comme au moral que l'une paraissait être le gracieux portrait de l'autre. Non seulement les étrangers ne pouvaient les distinguer mais leur mère elle-même prenait tantôt Hélène pour Sophie, tantôt celle-ci pour l'autre tant leur ressemblance était grande. Elle faisait porter à Sophie un bout de ruban autour du bras pour ne pas la confondre avec sa sœur. Elle était incapable de nommer celle dont elle voyait seulement le visage ou entendait la voix.

Malheureusement, si elles avaient hérité de la troublante beauté de la mère, le père leur avait aussi légué son indomptable et tyrannique orgueil; de sorte que chacune cherchait à l'emporter sur l'autre dans tous les domaines et même sur toutes leurs compagnes. A l'âge où les enfants se livrent d'ordinaire au jeu sans arrière-pensée, tout leur était déjà prétexte à rivalités et à jalousies. Qu'un étranger, séduit par la gentillesse des fillettes. glissât une jolie bague au doigt de l'une d'elles, sans offrir le même présent à sa sœur, que la toupie d'Hélène tournât plus longtemps que celle de Sophie, la mère pouvait être assurée de trouver celle qui se croyait désavantagée allongée par terre, se mordant les poings et frappant rageusement le sol des pieds. Elles ne se passaient pas la moindre tendresse, le moindre compliment, le plus infime succès. Leur mère cherchait inutilement à contrarier cette jalousie de tous les instants; mais elle dut bientôt constater que le funeste héritage paternel ne faisait que croître chez les adolescentes. Une faible consolation vint pourtant compenser ses soucis : grâce précisément à cette rivalité incessante, elles devinrent les plus habiles et les plus instruites de toutes les filles de leur âge. Ce que l'une commençait à apprendre, l'autre l'étudiait aussitôt, impatiente de dépasser sa sœur. Souples d'esprit comme de corps les jumelles s'assimilèrent rapidement les arts les plus utiles et les plus attrayants de la femme, à savoir : filer le lin, teindre les étoffes, dessiner, danser avec grâce, composer des chansons et les chanter en s'accompagnant sur le luth. Elles s'adonnèrent même à l'étude du latin, de la géométrie et des plus hautes connaissances philosophiques, qu'un vieux prêtre leur enseigna bénévolement. Il n'y eut bientôt plus en Aquitaine une femme dont la grâce, l'éducation ou l'agilité d'esprit fussent comparables à celles des deux filles de la boutiquière. On eût été toutefois fort embarrassé pour décerner la palme à Hélène ou à Sophie tant les deux sœurs s'identifiaient aussi bien dans leur intelligence et leur langage que dans leur personne.

Mais, en même temps que grandissaient leur amour des arts et leur connaissance des choses douces et aimables qui confèrent à l'âme comme au corps une extrême sensibilité, le vif mécontentement que leur inspirait la basse condition de leur mère s'accroissait chez les deux jeunes filles. Quand, au sortir des discussions de l'Académie, où elles rivalisaient d'éloquence avec les docteurs, elles regagnaient la rue enfumée où leur mère mal peignée veillait derrière son comptoir jusqu'à une heure tardive pour gagner quelques sous, elles rougissaient de leur indéfectible misère. Et sur la dure paillasse qui écorchait leur corps virginal dévoré par un feu intérieur elles passaient une partie de la nuit à maudire le sort qu'elles subissaient. Quoi ! elles qui surpassaient en grâce et en esprit les femmes de la noblesse, elles qui eussent dû porter d'amples et souples étoffes cousues de pierreries, elles croupissaient dans un taudis ! Elles qui pourtant étaient les filles d'un grand capitaine, des princesses même, par le sang et le caractère altier, qui pouvaient-elles espérer épouser? Un tonnelier ou un armurier tout au plus. Elles rêvaient d'appartements somptueux et d'équipages, de richesses et de pouvoir. Et quand par hasard elles voyaient passer dans le doux balancement de sa litière au milieu de ses pages et de ses fauconniers une dame noble couverte de riches fourrures leurs joues devenaient aussi blanches que leurs dents. Le farouche orgueil du père bouillait dans leur sang et elles ne pensaient nuit et jour qu'au moyen de s'affranchir de cette existence indigne d'elles.

Aussi un événement facilement explicable, quoique imprévu, ne tarda pas à se produire. Un beau matin, Sophie, en s'éveillant, trouva à côté d'elle le lit de sa sœur vide. Hélène avait mystérieusement disparu pendant la nuit. La mère affolée craignit qu'elle n'eût été enlevée de force par quelque gentilhomme — la beauté extraordinaire de ses filles avait déjà tourné la tête à bon nombre de jeunes gens de la ville. Les vêtements en désordre, elle courut en toute hâte chez le préfet qui gouvernait la ville au nom du roi et le conjura d'arrêter le criminel. Il le promit. Mais dès le lendemain, à la grande confusion de la mère, la rumeur publique accusait de façon péremptoire l'adolescente de s'être enfuie avec un jeune noble qui avait dévalisé son père par amour pour elle. La semaine suivante, un bruit plus fâcheux encore succédait au premier : des voyageurs venant de la ville où s'était réfugiée la jeune belle racontaient dans quel faste elle vivait auprès de son amant, entourée de serviteurs, de faucons et d'animaux exotiques, couverte de manteaux et de brocarts éclatants, au grand scandale de toutes les honnêtes femmes de l'endroit. Et cette triste nouvelle continuait à faire le sujet de toutes les conversations lorsqu'il en parvint une plus désastreuse encore : fatiguée de ce blanc-bec qu'elle avait mis complètement à sec, Hélène avait vendu son jeune corps au trésorier de la ville, vieillard d'âge patriarcal, contre un luxe nouveau et dépouillait impitoyablement cet homme connu jusque-là pour son avarice. Quelques semaines plus tard, après l'avoir plumé comme un poulet, elle changeait cet amant décati contre un nouveau et quittait ensuite ce dernier pour un plus riche. Ce ne fut bientôt plus un secret pour personne qu'Hélène faisait de ses charmes un commerce comme sa mère de ses épices. En vain la pauvre veuve envoya-t-elle billet sur billet à sa fille égarée pour la supplier de ne pas déshonorer de la sorte la mémoire de son père. Un événement vint mettre le comble à la honte de la malheureuse mère : un jour, un cortège pompeux entra dans la ville. Précédée de courriers vêtus d'écarlate et suivie de cavaliers, comme une princesse, entourée de chiens persans et de singes bizarres, s'avançait la précoce hétaïre, égalant en grâce son antique homonyme, cette Hélène qui bouleversait les empires, et parée comme la reine de Saba quand elle fit son entrée dans Jérusalem. Cela se répandit aussitôt ; les ouvriers quittèrent leurs masures, les scribes leurs écritures, une foule grouillante se pressa autour du cortège. La troupe fringante des cavaliers et des serviteurs s'arrêta sur la place du Marché et se rangea respectueusement pour recevoir la jeune courtisane. Le rideau de sa litière s'ouvrit et elle s'avança fièrement vers la porte de ce même palais qui avait jadis appartenu à son père et qu'un amant magnifique, en échange de trois nuits d'amour, avait racheté pour elle au trésor royal. Elle prit possession comme d'un fief de cette chambre au lit somptueux où sa mère l'avait mise au monde dans l'honneur. Bientôt toutes les pièces abandonnées depuis longtemps se remplirent de précieuses statues païennes. Des escaliers de marbre remplacèrent ceux de bois et le sol se couvrit de dalles et de mosaïques élégantes, les murs se tapissèrent, tel d'un lierre multicolore, de chaudes tentures représentant une foule d'images et d'histoires. La vaisselle d'or tinta au milieu de la musique de continuels festins. Chrétiens, païens ou hérétiques accouraient des villes voisines, de l'étranger même, pour jouir ne fût-ce qu'une fois des faveurs de la séduisante hétaïre ; et comme son goût de l'autorité n'était pas moins démesuré que l'orgueil de son père, elle serrait la vis à tous ses amants et tenait impitoyablement en haleine la passion de ceux-ci jusqu'à ce qu'elle les eût entièrement dépouillés. Le fils du roi lui-même dut faire appel aux prêteurs, lorsque après une semaine d'orgie il quitta les bras et la demeure d'Hélène, dégrisé et pourtant encore amoureux.

Il était normal qu'un pareil cynisme irritât les honnêtes femmes de la ville, les vieilles surtout. Dans les églises, les prêtres tonnaient contre la jeune débauchée ; sur la place du Marché les commères lui tendaient le poing avec colère, la nuit des pierres volèrent plus d'une fois en direction de ses fenêtres. Mais quelle que fût la colère des gens de bien, des épouses délaissées et des veuves solitaires, quelles que fussent les plaintes et les récriminations des autres femmes de mauvaise vie, chevronnées et plus âgées, contre cette lionne insolente venue chasser sur leurs terres, il n'en était pas dont le dépit égalât en violence celui de sa sœur Sophie. Ce n'était pas la vie dissolue que menait Hélène qui lui déchirait le cœur, mais le regret d'être restée sourde aux propositions de ce gentilhomme qu'avait suivi sa sœur, d'avoir laissé échapper tout ce que tenait Hélène et qu'elle lui enviait secrètement : son pouvoir sur les hommes et son existence fastueuse. Pendant que celle-ci menait la belle vie, elle continuait d'habiter une chambre glaciale où la nuit les plaintes du vent venaient rejoindre celles de sa mère. Certes sa sœur, dans un sentiment de vanité, lui avait envoyé de riches vêtements ; mais la fierté de Sophie se refusait à accepter l'aumône. Marcher dans le sillage d'Hélène et lui disputer les amants comme naguère les bouts de pain d'épice ne pouvait satisfaire son orgueil. Sa victoire, elle le sentait, devait être plus complète. Et à force de réfléchir nuit et jour au moyen d'effacer la renommée et le prestige de sa sœur, elle s'aperçut aux sollicitations de plus en plus pressantes dont elle était l'objet de la part des hommes que son seul bien, sa virginité, son honneur, était un précieux appât et en même temps un gage qu'une femme intelligente pouvait faire valoir. Elle résolut donc de préserver ce que sa sœur avait galvaudé et de faire étalage de sa vertu, tout comme la courtisane le faisait de son jeune corps. Si celle-ci était célèbre par son faste, elle le serait, elle, par son humilité et sa pauvreté. Un matin une nouvelle stupéfiante fut servie en pâture à la curiosité publique : Sophie, honteuse de la conduite scandaleuse de sa sœur jumelle et par pénitence pour elle, s'était retirée du monde et faisait son noviciat dans cet ordre pieux qui soignait avec un dévouement infatigable les malades et les incurables de l'hospice. Les amoureux volés s'arrachèrent les cheveux de désespoir en voyant ce pur joyau leur échapper. Les dévots, par contre, saisissant avec empressement cette occasion exceptionnelle d'opposer à la luxure une si belle image de la piété, se hâtèrent de répandre la chose à cent lieues à la ronde, si bien qu'il ne fut plus question dans toute l'Aquitaine que de Sophie, cette fille charitable qui veillait nuit et jour sur les ulcéreux et les poitrinaires et ne craignait pas d'assister les lépreux. Les femmes se signaient et pliaient le genou quand elle passait dans la rue, les yeux baissés sous sa coiffe blanche ; l'évêque ne tarissait pas d'éloges à son égard et la citait comme le plus bel exemple de vertu féminine ; les enfants l'admiraient comme une étoile merveilleuse. A sa grande colère — on s'en doute un peu ! — Hélène cessa brusquement d'être le point de mire de toute la ville, qui n'eut plus d'yeux que pour la blanche victime expiatoire qui se consacrait à Dieu par horreur du péché.

Deux étoiles étranges brillèrent sur le pays étonné pendant les mois qui suivirent à l'égale satisfaction des dévots et des pécheurs. Car si Hélène dispensait en tout temps à ceux-ci la volupté, les autres pouvaient façonner leur âme sur le modèle éclatant de vertu que leur offrait Sophie. C'était peut-être la première fois depuis que le monde existait qu'on pouvait, grâce à ce conflit bizarre, différencier si nettement le royaume de Dieu sur la terre de celui de son antagoniste. Qui aimait la pureté se rangeait aux côtés de la sainte, et qui s'abandonnait aux plaisirs de la chair se jetait dans les bras de son indigne sœur. Mais il y a dans le cœur de tout homme de mystérieux sentiers qui relient le bien et le mal, la chair et l'esprit : il s'avéra vite que cette dissension d'une espèce imprévue menaçait la paix des âmes. En effet, les deux jumelles continuant de se ressembler comme deux gouttes d'eau en dépit de la différence de leur conduite, — mêmes yeux, même taille, même sourire et même charme — il était fatal que cette similitude mît le trouble dans le cœur des hommes. Celui qui après des heures enflammées passées dans les bras d'Hélène sortait de chez elle d'un pas rapide, pour rentrer chez lui, se frottait soudain les yeux avec stupeur comme en présence d'une apparition. Ne croyait-il pas voir en la belle novice, à la modeste robe grise, qui poussait dans le jardin de l'hospice la voiture d'un vieillard paralysé, dont elle essuyait sans dégoût la bouche baveuse d'un geste doux et affectueux, celle qu'il venait de quitter ardente et nue sur son lit de débauche ? C'étaient bien les mêmes lèvres, aussi les mêmes gestes gracieux et tendres, quoiqu'ils n'offrissent plus alors aux hommes un amour charnel et qu'il s'en dégageât un sentiment de pureté et de grandeur. A force de regarder, les yeux de l'homme s'allumaient comme s'ils eussent voulu percer le sévère vêtement derrière lequel semblait leur faire signe le corps bien connu de l'hétaïre. Et les gens qui venaient de rendre visite à la novice et qui au coin d'une rue croisaient Hélène en grande toilette, outrageusement décolletée et se rendant à un souper au milieu d'amants et de serviteurs étaient victimes d'une illusion du même genre. Ils avaient beau se dire que c'était la courtisane et non pas Sophie subitement et étrangement métamorphosée, cela ne les empêchait pas de penser à la nudité de la novice et de pécher au milieu de leurs prières. C'est ainsi que l'esprit des uns et des autres voyageait avec incertitude d'Hélène à Sophie et s'égarait au point que leur sens allaient à rebours de leurs désirs, qu'ils rêvaient de la vierge auprès de la prostituée et regardaient d'un œil concupiscent la pieuse Samaritaine. Le Créateur a en effet doué les hommes d'un naturel contrariant : ils demandent toujours aux femmes le contraire de ce qu'elles leur offrent. Si elles se donnent facilement ils leur en savent peu de gré et affectent de ne priser que la vertu. Par contre, ils brûlent de ravir son innocence à celle qui l'a conservée. L'éternel conflit humain qui oppose la chair et l'esprit ne s'apaise jamais. Cette fois un démon facétieux avait encore compliqué les choses. Il arriva qu'on vit plus souvent les mauvais garçons de la ville aux abords de l'hospice que dans les cabarets, de même que les riches débauchés voulurent que dans l'intimité la courtisane revêtît des habits de nonne pour avoir l'illusion qu'ils avaient possédé l'inaccessible Sophie. La ville, le pays tout entier prirent bientôt part à ce jeu insensé et captivant à la fois, et ni la voix de l'évêque ni les objurgations du bailli ne purent faire cesser un scandale qui se renouvelait tous les jours.

De leur côté, loin de se contenter d'être l'une la plus riche, l'autre la plus vertueuse de la ville, toutes deux admirées, les orgueilleuses sœurs se tourmentaient en se demandant quel tort elles pourraient se causer l'une à l'autre. Sophie se mordait les lèvres de rage en apprenant la parodie obscène par laquelle Hélène ridiculisait son dévouement. Celle-ci passait sa colère sur ses domestiques lorsqu'ils venaient lui raconter que les pèlerins étrangers se prosternaient devant sa sœur et que des femmes baisaient la trace de ses pas. Plus ces deux violentes créatures se voulaient du mal et plus elles se haïssaient férocement, plus elles feignaient de compassion l'une pour l'autre. A table, Hélène plaignait sa sœur d'une voix attendrie de sacrifier sa belle jeunesse pour des vieillards catarrheux et paralysés, voués malgré ses soins à une mort inévitable. Sophie, de son côté, terminait tous les soirs sa prière en récitant une oraison spéciale pour les pauvres pécheresses assez folles pour préférer des plaisirs vains et éphémères à la suprême satisfaction de faire de leur vie une œuvre pieuse et charitable. Mais voyant qu'en dépit des messages et des invitations à changer de vie qu'elles s'adressaient, elles persistaient dans la même voie, Hélène et Sophie commencèrent à se rapprocher peu à peu l'une de l'autre comme deux lutteurs qui, sans avoir l'air de rien, préparent du geste et du regard la prise qui expédiera l'adversaire au tapis. Elles se rendaient visite de plus en plus souvent et simulaient l'une pour l'autre une tendre sollicitude, alors qu'elles se seraient damnées pour pouvoir se faire le plus de mal possible.

Ce soir-là, l'orgueilleuse dévote s'était rendue chez sa sœur après les vêpres comme à l'ordinaire pour la sermonner de nouveau. Elle représentait une fois de plus à l'aide de périphrases à la courtisane qui commençait à s'impatienter combien elle avait tort de faire un vase de perdition du corps que Dieu lui avait donné. Hélène, qui livrait justement ce corps aux soins de ses parfumeuses en vue de son criminel commerce, écoutait mi-fâchée, mi-souriante, se demandant si elle n'allait pas décocher à cette raseuse quelque sarcasme blessant ou même appeler deux ou trois jeunes gens pour offenser ses regards. A ce moment une idée originale, véritablement diabolique, lui effleura l'esprit, si bouffonne qu'elle eut de la peine à retenir un éclat de rire. Aussitôt l'impertinente changea d'attitude, renvoya servantes et masseurs, et, à peine seule avec Sophie, prit une mine contrite pour voiler l'expression de malice de ses yeux. Elle ne pouvait, hélas ! savoir, lui dit-elle, quel remords lui causait parfois la folle vie de débauche dans laquelle elle était plongée! Combien de fois déjà l'avait écœurée la sensualité bestiale des hommes ! Elle s'était promis de lui résister désormais et de mener une existence simple et honnête! Mais elle sentait bien que toute défense était inutile ! Elle félicitait sa sœur d'avoir l'âme forte et de n'avoir pas succombé comme elle aux tentations de la chair ! Heureusement qu'elle ignorait le pouvoir de séduction des hommes, auquel aucune femme initiée ne saurait résister ! Elle ne soupçonnait pas, cette bienheureuse Sophie, la violence de leur attrait ! Il y avait dans cette violence même une douceur à laquelle il fallait se rendre malgré soi !

Sophie, stupéfaite d'un aveu auquel elle n'osait croire dans la bouche de sa sœur, appela toute son éloquence à la rescousse. Un rayon de la grâce divine l'avait donc enfin touchée — c'est ainsi que commençait son sermon — car l'horreur du péché était le commencement du repentir. Cependant l'erreur et le doute habitaient encore son âme, puisqu'elle niait qu'une ferme volonté pût vaincre les assauts de la chair ; le désir de bien faire solidement ancré dans un cœur triomphait de toutes les tentations et l'histoire en fournissait des exemples sans nombre chez les païens comme chez les chrétiens. Mais Hélène secouait douloureusement la tête. Hélas, gémit-elle, elle aussi avait lu d'admirables récits de cette lutte héroïque contre le démon de la sensualité ! Mais des hommes en étaient les héros : Dieu ne les avait pas seulement doués d'une force physique plus grande, il les avait dotés en outre d'une âme mieux trempée et les avait choisis pour être les vainqueurs dans le bon combat. Jamais une faible femme — et elle soupirait en prononçant ces paroles —

ne pourrait déjouer les ruses et les séductions masculines. Elle ne connaissait pas d'exemple qu'une femme vivement sollicitée eût résisté à la pression amoureuse d'un homme.

— Comment peux-tu parler ainsi ! s'écria Sophie, blessée dans son incommensurable orgueil. Ne suis-je pas moi-même la preuve qu'une volonté résolue peut faire échec aux appétits bestiaux des hommes ? Leur meute m'assaille du matin au soir et me poursuit jusque dans l'hospice. En me couchant je trouve sur mon lit des lettres contenant les plus infâmes propositions. Personne cependant ne m'a jamais vue accorder un regard à l'un d'eux, car ma volonté me protège contre la tentation. Ce que tu dis est faux : lorsqu'une femme le veut vraiment, elle peut se défendre. J'en suis moi-même un exemple.

— Je sais bien que tu n'as jamais encore succombé, soupira hypocritement Hélène en jetant sur sa sœur un regard plein de fausse humilité. Mais tu n'y as réussi que parce que tu as la chance d'être garantie par ton habit et la rigoureuse mission que tu assumes. Tu es entourée de religieuses et à l'abri derrière les murs de ton couvent. Tu n'es pas seule et sans défense comme moi. Aussi ne crois pas que tu doives ta pureté à ta seule fermeté, car je suis sûre que toi aussi, Sophie, si tu te trouvais un jour en face d'un jeune homme, tu n'aurais ni la force ni le désir de te défendre. Tu lui céderais comme nous toutes !

— Jamais ! Pas moi ! répliqua l'orgueilleuse. Je me fais fort de triompher de toutes les épreuves sans le secours de mon habit, grâce à ma seule volonté.

C'était précisément ce qu'Hélène voulait faire dire à Sophie. Attirant peu à peu la présomptueuse dans le piège qu'elle lui tendait, elle ne manqua pas de mettre en doute la possibilité d'une telle résistance, jusqu'à ce que Sophie elle-même insistât pour subir une épreuve décisive. Elle la désirait, elle l'exigeait même pour prouver à sa trop pusillanime sœur qu'elle ne devait sa vertu qu'à sa seule force d'âme et non pas à une protection quelconque. Hélène fit semblant de réfléchir un moment — une impatience mauvaise faisait battre son cœur — enfin elle répondit :

— Ecoute, Sophie, je crois avoir trouvé ! J'attends demain soir Sylvandre, le plus beau jeune homme du pays, auquel nulle femme n'a encore jamais pu refuser ce qu'il attendait d'elle et qui me désire par-dessus toutes. Il va faire vingt-quatre lieues à cheval par amour pour moi et doit m'apporter sept livres d'or pur sans compter d'autres présents à seule fin de pouvoir être mon partenaire d'une nuit. Cependant s'il venait les mains vides, je ne le renverrais pas, et s'il le fallait je payerais la même somme pour l'avoir à moi, tant il est beau et distingué. Dieu nous a faites si semblables que si tu portais mes vêtements, tu passerais aisément pour être moi-même. Attends donc demain Sylvandre à ma place et dîne avec lui. Si, croyant que c'est moi qui suis là il essayait de te prendre, use de tous les prétextes pour te refuser. Je me cacherai dans une pièce voisine et verrai si tu es capable de lui résister jusqu'à minuit. Mais, encore une fois, ma sœur, fais bien attention, sa séduction est grande et plus grande encore est la faiblesse de notre cœur. Je crains que du fait de ton inexpérience tu ne succombes à une tentation inattendue : aussi je crois que tu ferais mieux de renoncer à un jeu aussi dangereux !

En poussant et dissuadant ainsi en même temps sa sœur la rusée jetait de l'huile sur le feu de son orgueil. Sophie se vanta qu'elle triompherait facilement d'une épreuve aussi bénigne et qu'elle demeurerait maîtresse de ses sens non pas jusqu'à minuit, mais jusqu'à l'aube. Toutefois elle demandait l'autorisation d'apporter un poignard pour le cas où son compagnon s'enhardirait jusqu'à vouloir la violenter.

A ces fières paroles, Hélène tomba aux genoux de sa sœur comme sous l'effet de l'admiration, en réalité pour cacher la joie mauvaise qui brillait dans ses yeux. Elles convinrent donc que Sophie recevrait Sylvandre le lendemain soir. Hélène jura de son côté de changer d'existence si sa sœur l'emportait. Sophie courut rejoindre ses compagnes pour retremper sa vertu au contact de celle éprouvée depuis des années de ces admirables recluses qui ne vivaient que pour soulager la misère et les maux des autres. Elle soigna avec un dévouement redoublé les malades les plus gravement atteints pour mieux se persuader à la vue de ces corps ruinés et infirmes de la fragilité des choses de ce monde. Ces créatures caduques et finies n'avaient-elles pas aimé autrefois, elles aussi, prononcé des serments d'amour ? Qu'étaient-elles, à présent ? Des loques humaines, une pourriture vivante !

Cependant Hélène ne restait pas non plus inactive. Experte dans l'art d'appeler et de retenir Eros, le dieu capricieux, elle fit préparer traîtreusement par son chef calabrais des plats assaisonnés de toutes sortes d'aphrodisiaques. Elle fit mettre du musc, des huiles excitantes et des piments cantharidés dans les pâtés ; elle alourdit les vins avec de la jusquiame et des herbes malignes qui alanguissent rapidement les sens. Elle n'oublia pas non plus la musique, cette reine des entremetteuses qui se glisse comme un vent tiède dans l'âme assoiffée de désir. Elle fit placer dans une pièce retirée de douces flûtes et de vibrantes cymbales, invisibles aux regards et d'autant plus dangereuses pour un cœur sans méfiance. Après avoir suffisamment « chauffé le four du diable », elle attendit avec impatience l'heure du combat. Le soir lorsque l'orgueilleuse dévote fit son apparition, pâle d'insomnie et énervée par l'approche d'un danger qu'elle avait elle-même suscité, une troupe de jeunes servantes s'emparèrent d'elle dès le seuil et à son étonnement la conduisirent vers un bain d'aromates. Elles dépouillèrent la novice rougissante de sa grossière cotte grise et lui frottèrent les bras, les cuisses et le dos avec des fleurs pilées et des onguents parfumés, si délicatement et si rudement à la fois que son sang la picotait. Soudain une eau tantôt froide, tantôt bouillante ruissela sur son épiderme frémissant ; puis des mains véloces oignirent son corps brûlant avec une douce huile de narcisse, le massèrent et frictionnèrent sa chair éblouissante avec une peau de chat, si activement que des étincelles bleuâtres jaillissaient des poils de la fourrure ; bref les servantes prodiguèrent à la dévote qui n'osait protester les mêmes soins de beauté qu'elles appliquaient tous les soirs à Hélène en vue du plaisir. Pendant ce temps les flûtes soupiraient tendrement, un parfum de santal brûlé et de cire fondue s'exhalait des torches appendues aux murs. Lorsque Sophie, troublée par ce traitement nouveau pour elle, s'étendit enfin sur un sofa et qu'elle aperçut son visage réfléchi dans les miroirs métalliques, elle eut peine à se reconnaître et se trouva plus belle que jamais. Elle se sentait légère, heureuse de vivre et s'en voulait en même temps de ressentir ce bien-être avec trop de satisfaction. Mais sa sœur ne lui laissa pas le temps de résoudre ce dilemme sentimental. S'approchant d'elle avec des câlineries de chatte, elle lui fit sur sa beauté des éloges enflammés que Sophie bouleversée repoussa avec rudesse. Les deux hypocrites s'embrassèrent encore une fois, l'une en tremblant d'inquiétude et d'angoisse, l'autre agitée par un mauvais désir. Puis Hélène fit allumer les flambeaux et disparut comme une ombre dans la pièce voisine pour assister à la scène qu'elle avait si audacieusement imaginée.

La courtisane avait eu le temps d'informer Sylvandre de l'étrange aventure qui l'attendait et lui avait conseillé de traiter tout d'abord l'orgueilleuse avec beaucoup de décence, afin de la rassurer et de la mettre hors de ses gardes. Flatté et désireux de triompher dans un combat aussi original, le jeune homme se présenta devant Sophie ; celle-ci porta involontairement la main à son poignard. Mais, à sa grande surprise, cet amant qu'elle s'imaginait insolent s'avança vers elle avec la plus déférente courtoisie. Soigneusement instruit par Hélène, il se garda bien d'attirer dans ses bras la jeune fille haletante ou de la saluer en termes familiers. Il commença par plier respectueusement le genou devant elle, puis il prit une pesante chaîne d'or ainsi qu'un surtout de soie provençale des mains de son écuyer qui se retira et demanda à Sophie la permission de la revêtir de la tunique et de lui passer le collier autour du cou. Elle ne pouvait que se rendre à tant de correction et se laissa mettre la chaîne et le somptueux vêtement sans résistance, non sans sentir glisser sur sa nuque la douce caresse des doigts brûlants du jeune homme en même temps que le froid métal. Cependant comme Sylvandre ne sortait toujours pas de sa réserve, Sophie n'eut pas sujet de se fâcher. Au lieu de se faire pressant, le rusé comédien s'inclina encore une fois devant elle en lui déclarant d'un air confus qu'il se sentait indigne de s'asseoir à sa table dans cet état car ses habits étaient couverts de poussière : il lui demandait donc la permission d'aller faire tout d'abord un brin de toilette. Embarrassée, Sophie appela les servantes et leur ordonna de conduire Sylvandre à la salle de bains. Celles-ci, obéissant à un ordre secret de leur maîtresse et feignant de se méprendre sur le sens des paroles de Sophie, déshabillèrent prestement le jeune homme qui fut bientôt nu devant elle, beau comme cette statue d'Apollon qui se dressait jadis sur la place du Marché et que l'évêque avait fait briser. Ensuite elles le parfumèrent et lui lavèrent les pieds à l'eau chaude ; puis, sans se hâter, elles lui tressèrent en souriant une couronne de roses dans les cheveux et le revêtirent finalement d'un vêtement éclatant. Lorsqu'il s'avança vers Sophie dans ses nouveaux habits, elle le trouva encore plus beau que précédemment Mais s'étant aperçue qu'elle était sensible au charme singulier du jeune homme, elle fronça le sourcil et s'assura que le poignard protecteur était bien à portée de sa main. Elle n'eut pas cependant à s'en servir, car l'aimable garçon l'entretenait de sujets sans conséquence, à la même distance respectueuse que les savants docteurs de l'hospice. L'occasion de donner à sa sœur un exemple de fermeté féminine — elle en était plus fâchée que satisfaite — ne se présentait toujours pas. Sans doute pour défendre sa vertu est-il nécessaire qu'elle soit d'abord menacée. Mais la passion de Sylvandre se refusait à livrer assaut : c'était tout juste si une nuance d'affabilité venait corriger la froideur de ses propos, et les flûtes qui dans la pièce voisine élevaient peu à peu le ton parlaient un langage plus tendre que celui qui s'échappait des lèvres vermeilles et pourtant sensuelles de ce garçon. Il parlait sans arrêt combats et expéditions militaires, ni plus ni moins que s'il se fût trouvé à table avec des hommes, et son indifférence était si bien jouée qu'elle ôta à Sophie toute méfiance. Elle goûta sans hésiter aux mets fortement épicés et aux vins sournoisement narcotisés. Dépitée à la longue par cette froideur qui l'empêchait de prouver la solidité de sa vertu et de laisser paraître devant sa sœur une noble indignation, elle finit par provoquer elle-même le danger. Elle trouva par hasard au fond de sa gorge un rire qui l'étonna elle-même et se fit un malin plaisir de manifester la plus folle gaîté ; elle se rapprochait de plus en plus du jeune homme, dans l'espoir de fournir à sa vertu un glorieux motif de résistance, et agissant ainsi l'orgueilleuse avait recours sans le savoir aux mêmes moyens de séduction dont usait, par amour de l'argent et du plaisir, sa courtisane de sœur.

Mais « il ne faut pas tenter le diable », conseille le proverbe. C'est ce que fit pourtant la présomptueuse championne. Peu habituée à boire du vin dont elle ne soupçonnait pas l'influence lascive, enivrée par l'exhalaison de plus en plus lourde qui montait des brûle-parfums, délicieusement alanguie par la grisante musique des flûtes, ses sens se troublèrent insensiblement. Son rire devint un balbutiement, son exubérance du désir. Nul docteur de l'une ou l'autre faculté n'eût pu affirmer qu'elle était éveillée ou sommeillait déjà, qu'elle était à jeun ou ivre, ni que ce fût à son corps défendant ou de bon gré que longtemps avant le coup de minuit ce que Dieu ou son antagoniste veut qu'il arrive entre une femme et un homme se produisit. Tout à coup de la robe défaite le poignard tomba en tintant sur les dalles de marbre ; chose étrange, la dévote défaillante ne le ramassa pas pour le brandir, telle une nouvelle Lucrèce, contre l'impudent, on ne perçut ni sanglots ni bruit de lutte. Et lorsqu'à minuit la courtisane triomphante suivie de ses servantes fit irruption dans la pièce devenue chambre nuptiale et tint avec curiosité une torche au-dessus de la couche de la vaincue, celle-ci ne manifesta ni accablement ni remords. Selon l'usage des païens, les impertinentes servantes jonchèrent son lit de roses plus rouges que les joues empourprées de la jeune fille qui s'apercevait mais trop tard de son infortune féminine. Cependant Hélène serra avec chaleur sa sœur dans ses bras, les flûtes et les cymbales résonnèrent joyeusement comme si Pan était ressuscité dans le monde chrétien ; effrontément nues, les servantes se mirent à danser et à chanter les louanges d'Eros, le dieu méprisé. Puis la troupe tourbillonnante des bacchantes alluma un feu de bois odoriférant dont les flammes gourmandes consumèrent le pieux vêtement ridiculisé. Elles couvrirent d'une même pluie de roses l'ancienne et la nouvelle hétaïre, qui refusait d'avouer sa défaite et riait jaune, comme si elle s'était donnée librement à ce beau garçon. A les voir ainsi côte à côte, toutes deux rougissantes, l'une de honte, l'autre d'orgueil, personne n'aurait pu distinguer Sophie d'Hélène, la fausse dévote de la courtisane, et le regard du jeune homme allait avec incertitude de l'une à l'autre, rallumé par un désir impérieux.

Pendant ce temps l'insolente valetaille avait ouvert les portes et les fenêtres du palais. Les noctambules s'approchèrent et éclatèrent de rire en apprenant ce qui s'était passé. La nouvelle se propagea comme une traînée de poudre et à l'aurore tout le monde connut l'éclatante victoire remportée par Hélène sur la novice, par la luxure sur la chasteté. Ce n'est pas tout. Dès que les hommes de la ville eurent connaissance de la chute de cette vertu si longtemps farouche, ils accoururent déjà tout enflammés et, avouons-le à la honte de Sophie, ils furent bien accueillis. Car celle-ci avait changé de caractère en même temps que de costume et, restée auprès de sa sœur, elle cherchait à l'égaler en ardeur et en zèle amoureux. Leurs querelles et leur rivalité avaient pris fin ; depuis qu'elles s'adonnaient toutes deux à leur honteux commerce, les jumelles perverses continuaient à vivre ensemble dans la plus parfaite intelligence. Elles avaient la même coiffure, portaient les mêmes bijoux, les mêmes toilettes. Et maintenant que leur rire était le même, qu'elles disaient les mêmes mots d'amour, un jeu voluptueux sans cesse renouvelé commença pour les débauchés qui consistait à deviner d'après leurs regards, leurs baisers et leurs caresses si c'était la courtisane ou l'ancienne dévote qu'ils tenaient dans leurs bras. Leur ressemblance était si complète qu'ils parvenaient bien rarement à savoir quelle était celle pour qui ils se ruinaient ; en outre les deux espiègles se faisaient un plaisir de mystifier les curieux.

Ainsi — et ce n'était pas la première fois en ce monde décevant — la beauté avait triomphé de la sagesse, le vice de la vertu, la chair de l'esprit défaillant et présomptueux. Ce que Job déplorait déjà dans ses mémorables sermons s'avérait une fois de plus exact : le méchant avait ici-bas la vie belle, tandis que le juste était honni et ridiculisé. Jamais coupeur de bourse ni larron d'église, jamais meunier ni orfèvre, marchand ni usurier n'avaient drainé autant d'or dans un pays que ces sœurs avec le commerce de leur corps. Les deux fidèles associées mirent à sec les bourses les mieux garnies, vidèrent les coffres les plus pleins; chaque nuit l'or et les bijoux affluaient chez elles comme l'eau va à la rivière. Et comme elles n'avaient pas seulement hérité de la beauté de leur mère, mais aussi de son esprit d'économie, les jumelles ne gaspillèrent point ces richesses en futilités, comme font ordinairement leurs pareilles. Elles furent plus avisées, elles le prêtèrent à des taux usuraires, le confièrent à des chrétiens, des païens, des Juifs pour le faire fructifier. Elles se débrouillèrent si bien que jamais nulle part on n'amassa capital aussi élevé en espèces, pierreries, reconnaissances de dettes et bons divers qu'en cette maison mal famée. Il était fatal qu'avec un tel exemple sous les yeux les jeunes filles de la localité ne voulussent plus faire le ménage ni se gercer les doigts au lavoir ; bientôt du fait de la funeste présence en ses murs des deux sœurs réconciliées, cette ville eut auprès des autres cités la réputation d'une Gomorrhe.

Mais « tant va la cruche à l'eau qu'à la fin elle se brise ». Ce scandale devait se terminer de façon édifiante. A la longue les hommes finirent par se lasser. Les visiteurs se firent plus rares, les torches s'éteignirent plus tôt; tous surent bien avant les deux sœurs ce que les miroirs racontaient tout bas aux flambeaux vacillants : que de petits plis se creusaient sous leurs yeux railleurs et que la nacre de leur peau qui se détendait peu à peu commençait à se ternir. En vain usèrent-elles d'artifices pour réparer les outrages journaliers de l'impitoyable nature, en vain teignirent-elles les mèches grisonnantes de leurs tempes, passèrent-elles sur leurs rides des couteaux d'ivoire et mirent-elles du rouge sur leurs lèvres fatiguées : impossible de dissimuler plus longtemps les années trépidantes qu'elles avaient vécues. Leur jeunesse envolée, les amants en avaient assez d'elles. Car pendant qu'elles se fanaient une nouvelle génération de jeunes filles grandissait tous les ans dans les rues voisines, d'exquises créatures aux seins fermes, aux boucles friponnes et dont la virginité excitait la curiosité des hommes. La maison de la place du Marché devint silencieuse. Les parfums brûlèrent en pure perte, la cheminée ne chauffait plus personne et les jumelles paraient inutilement leur corps. Délaissant leur art charmeur, les musiciens qu'on ne venait plus écouter se livraient pour tuer le temps à d'interminables parties de dés et le portier, dont les visiteurs ne troublaient plus le sommeil, engraissait à force de dormir. Assises devant la longue table qu'ébranlaient naguère les rires des convives, les deux sœurs esseulées avaient tout loisir de penser au passé. Sophie, surtout, songeait mélancoliquement au temps où loin des plaisirs du monde elle menait une vie sage et agréable à Dieu. Parfois elle rouvrait ses livres de piété couverts de poussière, car souvent la sagesse vient aux femmes quand la beauté les quitte. Peu à peu un revirement surprenant s'accomplit dans l'esprit des deux jumelles. Dans leur jeunesse c'était la courtisane qui avait triomphé de la dévote ; cette fois ce fut Sophie — tardivement il est vrai et après avoir copieusement péché — qui fut écoutée de sa sœur lorsqu'elle lui prêcha le renoncement. On les vit se livrer un jour à de mystérieuses allées et venues. Tout d'abord ce fut Sophie qui se glissa seule dans l'hospice pour aller demander pardon de sa conduite indigne. Puis elle revint accompagnée d'Hélène. Et quand elles déclarèrent qu'elles voulaient faire don à cette maison de la totalité de leurs biens les plus incrédules eux-mêmes ne doutèrent plus de la sincérité de leur repentir.

Un beau matin, tandis que le portier dormait encore, les deux femmes, simplement vêtues et la figure voilée, sortirent comme deux ombres de la somptueuse demeure, rappelant assez par leur allure humble et craintive celle qui, cinquante ans plus tôt, regagnait sa misérable rue après l'écroulement de son éphémère fortune. Celles dont l'orgueilleuse rivalité avait accaparé si longtemps l'attention de tout un pays se cachaient aujourd'hui le visage pour mieux couper les ponts derrière elles. Elles doivent être mortes anonymement dans un couvent à l'étranger — du moins on le suppose — après des années de retraite silencieuse. Mais les trésors qu'elles léguèrent au pieux asile étaient si considérables, on retira tant d'argent de la vente des médailles, des colliers, des pierreries, des reconnaissances de dettes qu'on décida de bâtir pour l'embellissement et la gloire de la ville un nouvel et superbe hospice qui surpassa en beauté et en dimensions tous ceux qu'on eût jamais vus en Aquitaine. Un architecte du Nord en traça le plan, des équipes d'ouvriers travaillèrent sans relâche pendant vingt ans à sa construction ; finalement, lorsqu'on enleva les échafaudages, la foule contempla avec étonnement le gigantesque édifice. En effet, l'usage du pays voulait qu'une seule tour massive et rectangulaire dominât le corps du bâtiment ; or ici se dressaient deux tours dentelées d'une sveltesse féminine et si semblables dans leurs proportions et la grâce de leurs ciselures que dès le premier jour les gens les appelèrent les « sœurs » — peut-être simplement en raison de leur similitude d'aspect, peut-être aussi parce que le peuple, qui a toujours aimé à garder à travers les siècles le souvenir des faits mémorables, ne voulait pas oublier l'histoire peu commune des deux jumelles que ce brave citadin, un peu éméché, je suppose, me conta un soir au clair de lune.

ce de dettes qu'on [illegible] pour l'embellissement [illegible] de la ville [illegible]
[illegible]

TABLE

Dans la collection Les Cahiers Rouges

Joseph d'Arbaud	*La Bête du Vaccarès*
Marcel Aymé	*Clérambard*
Ambrose Bierce	*Histoires impossibles*
Ambrose Bierce	*Morts violentes*
André Breton, Lise Deharme, Julien Gracq, Jean Tardieu	*Farouche à quatre feuilles*
Charles Bukowski	*Le Postier*
Erskine Caldwell	*Une lampe, le soir...*
Blaise Cendrars	*Moravagine*
Blaise Cendrars	*La Vie dangereuse*
André Chamson	*L'Auberge de l'abîme*
Jacques Chardonne	*Claire*
Jacques Chardonne	*Lettres à Roger Nimier*
Jacques Chardonne	*Vivre à Madère*
Alphonse de Châteaubriant	*La Brière*
Jean Cocteau	*Journal d'un inconnu*
Jean Cocteau	*Portraits-Souvenir*
Léon Daudet	*Les Morticoles*
Joseph Delteil	*Choléra*
Joseph Delteil	*Sur le fleuve Amour*
Joseph Delteil	*Les Poilus*
André Dhôtel	*Le Ciel du faubourg*
Maurice Genevoix	*La Boîte à pêche*
Jean Giono	*Mort d'un personnage*
Jean Giono	*Naissance de l'Odyssée*
Jean Giraudoux	*Bella*
Ernst Glaeser	*Le Dernier Civil*
Louis Guilloux	*La Maison du peuple*
Kléber Haedens	*Adios*
Knut Hamsun	*Vagabonds*
Joseph Heller	*Catch 22*
Louis Hémon	*Battling Malone pugiliste*
Louis Hémon	*Monsieur Ripois et la Némésis*

Panaït Istrati	*Les Chardons du Baragan*
Franz Kafka	*Tentation au village*
Jacques Laurent	*Le Petit Canard*
Le Golif	*Borgnefesse*
Pierre Mac Orlan	*Marguerite de la nuit*
Norman Mailer	*Un rêve américain*
André Malraux	*La Tentation de l'Occident*
Heinrich Mann	*Professeur Unrat (l'Ange bleu)*
Thomas Mann	*Altesse royale*
Thomas Mann	*Sang réservé*
François Mauriac	*Les Anges noirs*
François Mauriac	*La Pharisienne*
Paul Morand	*Lewis et Irène*
Paul Morand	*L'Europe galante*
Paul Morand	*Magie noire*
Vladimir Nabokov	*Chambre obscure*
Irène Némirovsky	*David Golder*
Irène Némirovsky	*Le Bal*
Paul Nizan	*Antoine Bloyé*
François Nourissier	*Un petit bourgeois*
René de Obaldia	*Le Centenaire*
Joseph Peyré	*L'Escadron blanc*
Charles-Louis Philippe	*Bubu de Montparnasse*
Henri Poulaille	*Le Pain quotidien*
André Pieyre de Mandiargues	*Feu de braise*
Charles-Ferdinand Ramuz	*Aline*
Charles-Ferdinand Ramuz	*Derborence*
André de Richaud	*La Barette rouge*
André de Richaud	*L'Étrange Visiteur*
Rainer-Maria Rilke	*Lettres à un jeune poète*
Maurice Sachs	*Au temps du Bœuf sur le toit*
Victor Serge	*S'il est minuit dans le siècle*
Ignazio Silone	*Une poignée de mûres*
Philippe Soupault	*Poèmes et Poésies*
Mary Webb	*Sarn*
Kenneth White	*Lettres de Gourgounel*
Stefan Zweig	*Le Chandelier enterré*
Stefan Zweig	*La Peur*
Stefan Zweig	*La Pitié dangereuse*
Stefan Zweig	*Brûlant Secret*

Cet ouvrage a été reproduit
par procédé photomécanique
et réalisé sur Système Cameron
par la SOCIÉTÉ NOUVELLE FIRMIN-DIDOT
Mesnil-sur-l'Estrée
pour le compte des Éditions Grasset
le 24 février 1987

Imprimé en France
Première édition : dépôt légal : septembre 1986
Nouveau tirage, dépôt légal : février 1987
N° d'édition : 7257 – N° d'impression : 6373
I.S.B.N. 2-246-35882-5
I.S.S.N. 0756-7170